그냥
밥 먹자는 말이
아니었을지도 몰라

양희경
에세이

다

추천사

양희은(가수) ———

나는 희경이의 소소한 일과를 SNS를 통해 안다. 희경이의 주변에는 밥 냄새 나는 사람들이 넘쳐난다. 말 그대로 사람 냄새라고나 할까. 그간 부지런히 올린 슴슴한 글이 부엌 놀이를 부추겨서 집밥이 재미진 사람들이 늘어나면 좋겠다. 재능 많은 희경이의 인생에서 욕심과 열정을 보이는 것을 꼽으라면 그것은 단연 '음식 만들기'고 '먹이는 일'이니까.

이영자(예능인) ———

누군가에게 밥을 해 먹이는 원동력은 결국 사랑이다. 그러니 '집밥'은 세상에 나가 싸울 수 있는 무기가 된다. 내 어머니는 일찍이 장사를 하셨기 때문에 집밥을 기대하기 어려웠는데, 양희경 선생님께서는 내가 어머니께 바랐던 것을 다 해내고 계셨다. 항상 요리로 든든한 창과 방패를 만들어주시는 것을 보고, 선생님 자녀분들은 실패하더라도 다시 일어날 수 있겠구나 싶었다. 그렇게 쏟아지는 사랑을 받아보아야 나도 사랑을 베풀 줄 알게 된다. 내 안에 든든한 사랑이 없으면 밖에서 찾으려고 허덕이니까. 선생님의 요리는 그런 것이다. 나를 사랑해달라고 구걸하지 않게 만드는 요리다.

김탁환(소설가) ———

행복하고 싶을 때 읽겠다. 젖과 꿀이 흐르는 책이자 새까만 옹이들이 청동거울처럼 빛나는 책이다. 변신의 맛과 변심의 멋을 아는 조왕각시의 손끝이 넉넉하고 꼼꼼하다. 몸도 맘도 소중하게 위하는 식탁에 초대받은 기분이랄까. 웃고 먹고 울고 떠들며 배를 채운 뒤, 처음부터 다시 진실의 레시피를 궁리하노라면, 어떤 절망도 절망으로 끝나지 않는다. 일생 변치 않은 반복은 힘이 세다. 물이 바위를 뚫고 혀가 칼을 이긴다. 사랑이겠다.

이명수(심리기획자) ———

연기. 내레이션. 음식. 엄마. 양희경 본인이 꼽는 자신에 대한 키워드다. 난 이 책을 읽고 나서 집밥 경험철학자라는 단어를 추가했다. 허기질 땐 아무 곳이나 펼쳐도 속을 든든하게 해줄 집밥 레시피가 나타나고, 살이가 고단하거나 꽉 막혀 있을 땐 어느 곳을 펼쳐도 그녀가 전해주는 삶의 경험칙으로 위로받고 힘받는다. 피를 맑게 해준다는 그녀의 집밥 같은 책이다. 여기 실린 레시피 복사해서 나만의 요리책을 만드느라 추천사가 늦었다.

송승환(배우, 감독) ———

몇 년 전 내 시력이 갑작스레 나빠졌을 때, 눈에 좋다는 약과 음식을 한보따리 싸들고 가장 먼저 찾아온 사람이 양희경이었다. 해박한 지식을 갖고 있는 그녀에게 건강과 음식 정보를 많이도 얻었다. 무대에 대한 열정, 직접 체험한 건강과 음식 이야기, 꿋꿋하게 자식들을 키워낸 엄마의 모습이 책에 고스란히 담겨 있다. 이미 내가 알고 있던 모습에 공감하기도 하고 처음 알게 된 모습에 새삼 놀라기도 했다. TV에서 봤던 양희경만을 떠올린다면, 나보다 더 많은 놀라움과 감동을 느낄 것이다. 숨 가쁜 세상에서 맑고 따뜻한 감성을 지켜낸 양희경의 글로 모두가 잠시나마 힐링의 시간을 갖게 된다면 참 좋겠다.

들어가는 글

나는 엄마를 고민하게 만들던 아이였다.

'도대체 뭘 먹이면 애가 잘 먹을까' 하고.

어린 시절, 과일과 간식을 밥보다 좋아했다.

늘 병약했고 밥상 앞에서 징징대고 울었던 기억이 많다.

밥 먹기 싫다고 투정 부리는 아이.

부모님을 걱정시켰던 아이.

뭐라도 먹여보겠다고 우유에 밥을 말아보기도,

콩가루에 밥을 비벼보기도 하셨던 기억이 난다.

요즘도 엄마와 밥상에 앉아 밥을 먹으며 나누는 얘기다.

네가 밥을 하도 안 먹어서 내가 참 힘들었다고.

키우기 힘든 자식이었을 거다.
엄마 아버지 이혼하고 계모 밑에서 크면서는
밥상 앞에서 꾸지람을 많이 들었다.
깨작거린다고, 친어미 닮았다고.
그래서 울면서 밥을 먹고, 먹고 나면 체하는 날들이 많았다.
믿거나 말거나 비쩍 마른 아이였다.
하지만 중고등학생, 대학생 시절엔
없어서 못 먹었다.

시집을 가니 시어머니 음식 솜씨가 대단하셔서
그걸 먹으며 보며 시집살이했다.
부엌이 내 차지가 되자마자
나는 일하는 엄마로 살기 시작했다.
일하랴 애들 키우랴 밥해 먹이랴.
코가 삐뚤어지게 바쁜 나날 속에서도
내 손으로 아이들 먹을 것을 해결하며 살았고
장성한 아들들에게 지금껏 밥을 해드리며 산다.
이게 내겐 큰 낙이다. 이거 빼면 뭐가 남을까?
없다, 없어!

차례

2부 ············ 티타임

●●☀○

3부 ………… 오후 네시의 간식 타임

1부

오찬 모임

부엌에서 땀 흘리며 만드는 밥 한 그릇.
두 그릇도 아닌 한 그릇을 먹기 위해
늘 그렇게 살아왔다.

지치면
부엌으로!

힘들고 지칠 때 내가 하는 건 부엌일이다.

속상한 일이 생기거나 대사가 안 외워질 때

씻고, 다듬고, 조리하기. 그럼 마음이 차분히 가라앉는다.

감자, 고구마, 양파를 볶은 다음,

호랑이콩과 흰 완두콩을 듬뿍 넣고 포옥 삶는다.

완숙 토마토의 껍질을 벗긴 뒤 으깨놓은 것을

콩 삶은 물에 넣고 되직하게 포옥 끓인다.

이것이 바로 구황작물 보식이다.

곳곳에서 온 재료들이 나에게 보물처럼 느껴진다.

힘들어도 열심히 해서 먹으면 좀 나아진다.

열두 달 중 한 달여를 징그럽게 앓은 적도 있는데,

그렇게 정신력으로 버티는 건 그 값을 꼭 치르게 된다.
몸은 꼭 쓴 만큼 되갚는다.
젊은 기운에 정신력만 믿고 몸이 하는 소리를 안 듣고,
못 듣고 살다가 육십을 넘기면 그때부터 기다렸다는 듯이
몸의 되갚음을 고스란히 받으며 살아내야 한다.
하지만 끙끙 앓으면서도 무조건 몸을 일으켜 부엌으로 간다.

양배추 한 통으로 반은 오이와 생채를 만들고,
반은 렌틸콩과 볶는다.
냉동실에서 조기를 꺼내고, 죽순을 다듬고, 뚝딱뚝딱.
맛나게 먹고 푹 자고 일어나면 또 나아진다.

방에서 혼자 앓다 갈 수도 있다, 그리 생각하는 밤도 있었다.
열도 없이 오한이 급하게 온다.
오들오들 떨며 전화도 못할 지경으로 앓다 잠이 들기도 했다.
내가 부엌일을 못하면 죽을 지경으로 앓고 있거나
일 때문에 시간이 전혀 없거나 둘 중 하나다.
나는 아무거나 못 먹고, 안 먹으면 살 수가 없으니
결국 몸을 일으켜 나를 위한 음식을 만들어야 한다.
그러고 보니 아들들은 핑계고
결국은 내가 나를 위해 하게 되는 '부엌 놀이'다.
아마도 이런 게 하기 싫으면 내 인생도 끝나가는 거겠지.

몸과 마음을 든든하게:
양배추 요리

☑ **양배추 렌틸콩 볶음**

☐ 양배추 반 통, 채 썰어서 씻은 뒤 물기를 빼놓는다.

☐ 렌틸콩 1/2 컵, 한 시간 불렸다가 삶아 건져놓는다.

☐ 팬에 올리브오일이나 들기름을 넉넉히 두르고
양배추의 숨이 죽을 때까지 볶는다.

☐ 렌틸콩은 손으로 비벼 으깬다.

☐ 재료들을 전부 볶고 국간장 또는 간젓장(간장+젓장),
그다음 소금과 후추로 마지막 간을 본다.

양배추 렌틸콩 볶음은 반찬으로 먹어도 좋고,

밥 위에 수북이 올려 먹으면

다이어트 음식으로 짱인 양배추 덮밥이 된다.

☑ 양배추 돼지고기 볶음

- ☐ 양배추는 위와 동일하게 준비한다.
- ☐ 돼지고기는 얇고 길쭉하게 썰어 준비한다.
- ☐ 돼지고기에 마늘, 청주, 간젓장을 넣어 볶는다.
- ☐ 익어갈 즈음 채 썬 양배추를 넣는다.
- ☐ 양배추 숨이 죽을 때까지 포옥 익힌다.

☑ 양배추 생채

- ☐ 양배추를 채 썬다.
- ☐ 물에 한번 헹구고 소금을 솔솔 뿌려둔다.
- ☐ 양배추 숨이 죽으면 체에 올려 물기를 뺀다.
- ☐ 고춧가루(안 넣어도 된다), 소금, 매실청 넣고 버무린다.
  마늘이나 파도 넣고 싶으면 넣는다.
- ☐ 그대로 바로 먹어도 맛있고, 숙성시켜도 맛있다.

양배추 생채는 차갑고 시원하니

먹으면 갑갑한 속이 풀린다.

우리집의 밥심 한 그릇

우리 세 자매가 부엌에 죽어라고 들어가는 이유는
어려서부터 외할머니와 엄마의 집밥을
쭉 먹고 살았기 때문이다.
음식의 귀재였던 우리 외할머니는
바느질을 하면서도 풍류를 즐길 줄 아셨다.
한창 옷을 대고 재봉틀질을 하다가도
라디오에서 풍악이 들리면 벌떡 일어나
덩실덩실 춤을 추시곤 했다.

외할머니와 같이 살았던 일 년.
그 당시 할머니의 음식들은 여전히 기억 저편에 깔려 있다.

차조밥, 토란국, 김치, 그 속에 든 대파!
그 파를 생각하면 지금도 침이 고인다.
할머니는 김장을 할 때면 항아리에 배추를 한 켜 넣고
절인 파를 한 켜 깔고, 그 위에 다시 배추를 층층이 넣었다.
나중에 파를 꺼내어 먹으면 사이다 같은 맛이 났다.
그뿐일까. 할머니의 반찬들마저 내 입속을 빙빙 돌아서
나중에도 자꾸만 그 맛을 찾고 싶었다.

음식과 바느질과 풍류를 즐기던 나의 권동그리 할머니!
그 피는 엄마와 이모에게 그리고 우리 자매에게 이어졌다.
외할머니가 오래 사셨어야 했는데,
지금 같으면 한창 청춘일 나이에 돌아가셨다.
당신 나이 쉰아홉, 내 나이 열여섯 중3 때다.
그리운 할머니! 나에게 먹는 기쁨을 알게 해주신 분이다.
한집안의 음식 맛은 그 집안의 균이라 한다.
할머니부터 손에서 손으로 이어지던 맛이 있다.
그 탓에 우리 엄마도, 이모도, 세 자매도 음식을 잘하며
자극적이지 않고 시원한 맛을 여태 즐긴다.
그래서일까. 우리 자매들은
간만에 모여도 외식을 하는 법이 거의 없다.
우리집 식구가 여섯, 언니네 둘, 동생네가 여덟.
어머니까지 합이 열일곱이다.

이렇게 바글바글한데 매번 한집에 모여 밥을 차려 먹는다.
가끔은 이 단체 식사가 너무 힘들어서
케이터링을 주문하기도 했다.
그런데 편하기는 하나 성에 차지 않는 것이었다.
이걸 이 돈 주고 사 먹어야 하나!
그래서 그냥 세 자매가 각자 한두 개씩 반찬을 준비해온다.
우리 집밥이 다른 집에 비해 특별히 맛있는 건 아니지만
우리는 그렇게 살아오고 먹어왔기 때문에
매번 그렇게 먹는 거다.
얻어먹을 복 없이,
늘 다른 사람들에게 내가 만든 음식을 해 먹인다.
언니나 나나, 일을 죽어라 하면서도 마찬가지다.
그래서 우리 식구는 오랜 시간 만나는 법이 없다.
12시에 모여서 밥 먹고 2시면 헤어진다.
점심 한끼 + 디저트 = 헤어짐.

"다들 배불리 맛나게 잘 먹었지? 그럼 헤어져!
안녕! 잘 가!"

부엌에서 땀 흘리며 만드는 밥 한 그릇.
두 그릇도 아닌 한 그릇을 먹기 위해,
식구들 먹이기 위해 늘 그렇게 살아왔다.

그런 언니와 나를 보면

치열하게 살아온 우리들의 지난날이 필름 돌아가듯

머릿속에서 빙글빙글 돌아간다.

새로운 필름 롤은 지금도 계속 만들고 있다.

부엌일 아니고
부엌 놀이

우리 부모님은 내가 초등학교 1학년 때 이혼했다.
엄마가 외갓집으로 떠나자마자 외간 여자가 집에 들어섰고
엄마가 만든 옷과 장난감, 이불 등을 불태워 없앴다.
그렇게 초등학교 6년 내내
나는 인생에서 가장 불행한 시기를 보냈다.
언니는 중학생이 되고 이모할머니 댁으로 갔다.
그때부터 언니도 없이 동생과 둘이서 그 집에 있었다.

4학년 때 아버지가 돌아가시고 내가 초등학교 졸업할 즈음
양장점을 하던 엄마가 다시 우릴 맡아서 키웠다.
엄마는 경제적으로 어려운 상황에 빚보증을 잘못 섰는데

생계 수단이던 가게에 불까지 났으니 그야말로 풍비박산!
어린 언니는 밖에서 통기타 치며 돈 벌어오는 아버지 역할을,
나는 집안 살림을 도맡아 엄마의 역할을 시작해야 했다.
내가 고1 때부터의 일이다.

양희은의 청바지는
인간 세탁기 양희경이 있었기에 존재할 수 있었다.
언니는 그 시기를 청바지 단 한 벌로 버텼으니까.
귀가한 언니의 바지를 빨면,
다음날 또 입고 나갈 수 있도록 밤새 말려야 했다.
겨울이 제일 힘들었다.
꽁꽁 칼바람에 얼어붙은 바지를 아랫목에 깔아가며 말렸다.

그렇게 어려서부터 나의 집안일은 시작되었다.
그런데 이게 웬걸?
아이를 낳고 배우 일을 하고, 가사도우미를 두어도
나의 부엌일은 끝나지 않았다.
다른 사람들은 손놓고 남이 해주는 음식 잘만 먹는다던데,
우리 아들들은 남이 만든 건 귀신같이 알고 잘 안 먹었다.
오래도록 이모저모 노력했지만 결론은 하나였다.

나는 밥을 해주는 복만 있지,

얻어먹을 복은 없다는 것.

그렇다면 죽을 때까지 직접 먹거리를 준비해야 하는 건데,
그걸 부엌'일'이라고 생각하니 너무 우울해지는 거다.
그래서 '놀이'라고 이름 붙이기로 했다.
부엌 놀이.
놀이를 이렇게 저렇게 바꿔가며 하는 기쁨!
새로운 놀이를 찾아가는 즐거움이 지금 내 삶의 원동력이다.

집밥 먹는 삶은 걱정 없지

부억일을 너무 싫어하거나 할 줄 모르거나 시간이 없다거나,
이런저런 이유로 부엌을 멀리하는 사람들이 점점 많아진다.
근데 점점 집에서 먹을 수밖에 없는 시국이 찾아오면서
그런 친구들에게 하고픈 말이 있다.
밥솥에게 밥을 부탁하고 맛난 반찬집을 찾아서 사 먹더라도
집에서 밥을 차려 먹기 시작하면 되는 게 집밥이라고.
그렇게 한 걸음씩 나아가면 되는 것이니
부디 시작해보시라고!

집밥을 해 먹으면 인생이 달라지기 때문이다.
한끼를 어떻게 먹느냐가 나의 전부를 구성한다.

주변에 혼자 살면서 외식하는 사람들한테
나는 늘 얘기한다.

“쌀을 씻어. 30분을 불리고 체에 건져.
쌀과 물을 1:1로 섞어. 생쌀 한 컵이면 물 한 컵.
냄비에 안쳐, 됐어?
조미김 말고 날김을 사고, 믿을 만한 시장에서 김치를 사.
고추장이나 간장에 멸치를 볶아.
그렇게 딱 세 가지만 해서 먹어.
그게 집밥의 시작이야!”

손주들에게 보낼 책을 사기 위해 출판단지에 갔다가
출판사 대표가 된 후배를 몇 년 만에 만났다.
다른 건 다 모르겠고, 밥은 먹고 살겠구나 싶어 안심!
근데 집밥은 해 먹나?
걱정되어서 일터를 가 보니,
거기에 부엌도 있고 밥해 먹는 것도 좋아한단다.
더이상 걱정 끝! 잘 살고 있구나, 또 한번 안심!

집밥을 해 먹는 삶은 걱정할 필요가 없다는 게
나의 원초적인 생각이다.
모든 걸 갖췄는데, 심지어 결혼까지 했는데

집밥을 못 먹는 삶이라면 그건 너무 걱정스럽다.
그 사람의 성공이 성공으로 보이긴커녕
불쌍해 보이기까지 한다.
실제로 안타까운 마음에 몇몇 사람들한테
2인용 전기밥솥을 사주기도 했다.
단 몇 끼라도 밥해 먹으라고, 라면 끓이기보다 쉽다고.
쌀 씻고 물 넣고 전원만 켜면 된다.
반면 라면은 끓는 걸 지켜봐야 하지 않나!

따끈하게 지은 밥의 김을 한번 뺀 다음
냉장고에 반나절 넣어두고
나중에 그걸 다시 데워 먹는 '장 건강 식사법'도 있다.
밥 속 전분이 발효되고 그것이 장 속 미생물의 먹이가 되어
뇌까지 건강해지는 것이다. 얼마나 좋은가, 일타쌍피!
일주일치 밥을 한번에 해놓고,
봉지마다 소분했다가 꺼내 먹으면 된다.
얼마든지 해 먹을 수 있다. 해보시라!
정말 라면 끓이기보다 밥해 먹는 것이 쉽다고요-오-오!

잡채는
인생이야

지금 살고 있는 이 집을 한창 다 짓고 난 뒤에
집들이 겸 후배가 놀러 왔다.
뭐 먹고 싶어? 물으니 잡채가 먹고 싶다 했다.
과거에 내가 만들어준 잡채가 맛이 좋았었다고.
잡채는 맛있을 수밖에 없지, 인생의 맛이니까!
온갖 재료가 한데 어우러지고,
다른 재료들이 서로 만나면 또다른 맛을 내니
장담컨대 잡채는 인생이다.

인생의 가짓수가 수없이 많듯이
잡채의 수도 부재료 수만큼 많다.

콩나물 잡채 — 콩나물, 양파와 당면

부추 잡채 — 부추, 양파, 돼지고기와 당면

떡 잡채 — 떡, 고기, 양파와 당면

미역줄기 잡채 — 미역줄기, 버섯, 양파와 당면

채소 잡채 — 갖은 채소와 당면

어묵 잡채 — 어묵과 당면

이 외에도 매운 잡채, 간장 소스 잡채 등
어떻게 간을 하느냐에 따라 또 맛이 다르다.
기본 밑간은 간젓장으로,
단맛을 내고 싶으면 조청 또는 마스코바도 설탕(원당)을
넣어주면 끝이다.
그저 당면을 불려 삶고, 뭐든 볶아서 함께 섞어주면
새로운 잡채가 되는 것!

설거지거리가 걱정이라면 당면을 불려 먼저 양념에 비비고
냄비에 깔은 뒤 갖은 채소 올려 뭉근하게 익히면
당면과 부재료를 따로따로 볶지 않아도
다양한 재료가 들어간 잡채가 된다.

잘 만든
우리 장이 최고!

내가 맛있다 하고 먹는 음식은
재료 본연의 맛을 잘 살린 음식이다.
조미료, 향신료를 많이 넣지 않은 음식이면 다 좋아한다.
이래저래 음식을 만들며 살다보니 저절로 깨닫는 게 있다.
재료가 좋으면 소금 하나로도 좋은 맛이 난다는 거다.
뭔가를 자꾸 가미하게 되는 건 재료가 좋지 않을 때다.
맛이 안 나니 결국 조미료나 향신료를 쓸 수밖에.

내가 결혼하던 1977년 전후로
우리의 간장과 된장에 발암물질이 있다며
집집이 맛을 달리했던 장들이 천시받던 때가 있었다.

그때 왜간장, 즉 시판 간장이 기세등등하게
인공조미료 '아지노모토'와 함께 우리 식탁을 장악했다.
그래도 우리 어머니들은 꿋꿋하게 여러 장을 담그셨다.
주거지의 형태가 주택에서 아파트로 바뀌어도
새로운 터전에서 계속 장을 담그는 분들이 많았다.

천만다행으로 여러 오해가 풀리며 장 문화가 다시 살아났다.
우리 음식 문화를 살리려는 분들의 노고가
여기저기서 결실을 본 것이다.
뭐 지금은 담가 먹기보다 사 먹는 분들이 많지만,
혼자 살면서도 장을 담그는 친구들도 있다.
(엉덩이 툭툭, 안아주고 싶다.)
그 정도로 장 담그기는 막상 시도하면 몹시 간단하다.
날이 풀리기 전, 아직 쌀쌀한 시기에 도전하면 좋다.

☑ **집된장과 집간장**

☐ 메주 한 말을 잘 빚어 말려 준비하고, 생수 20리터,
말린 고추와 숯, 소금 4킬로그램을 준비한다.

☐ 물에 소금을 충분히 녹여주고, 그 속에 메주를 넣는다.
뜨지 않게 잘 눌러준다.

□ 말린 고추 넣고, 불에 달군 숯을 마지막으로 넣어준다.
(그냥 숯을 넣어도 된다.)

□ 항아리는 무조건 해 잘 드는 남향에 둔다.

□ 50일쯤 지나 메주를 건져 잘 주무르고
다른 항아리에 옮긴다. 이걸 60일 숙성시키면 된장이 된다.

□ 항아리에 남은 물을 체에 한번 거르고
또 90일 지나면 집간장이 된다.
이대로 6개월 지나면 잘 숙성된 맛이 난다.

만약 쉽게 도전하기 힘들다면,
집된장이나 집간장을 파는 곳이 많아졌으니
이것저것 사 먹어보고 내 입에 잘 맞는 걸 고르면 된다.

오래전부터 산분해 간장을 쓰지 않은
우리집 음식의 깊은 풍미는 이 간장에서 나온다.
깊은 맛을 품은 장은 재료들의 맛을 살리고
음식끼리 서로 조화를 이뤄낸다. 물론 몸에도 좋다.
서양 요리에도 우리 간장을 넣고 끓이면 맛이 좋아진다.
못 믿겠으면 러시안 수프나 토마토스튜에
꼭 넣어보시라!

간젓장과
된장국

우리집 된장국을 먹겠다고 찾아오는 사람들이 있다.
된장국은 기운 없을 때 제일 좋은 국이다.
넣는 재료만 바꿔주면 종류가 무한해지니
그때그때 제철 채소를 넣어주는 게 좋다.
시금치, 아욱, 근대, 알배추, 냉이, 쑥, 봄동, 무청 등등
무쳐 먹는 채소들은 다 된장국의 재료가 될 수 있다.
나는 된장국에 오신채를 잘 안 쓰는 편이라
재료가 더 간단하다.

우선 국물은 멸치, 디포리, 다시마를 넣고 끓이는데
이런 게 귀찮으면 '다시팩'이라고

여러 재료들을 넣어서 간편하게 만들어놓은 팩을 사다가
물만 부어 끓여주면 된다.

그렇게 만들어진 국물에 된장을 순하게 풀고
부재료를 넣어주면 된다.
시금치, 아욱, 근대, 배추 등 흔한 제철 채소는 다 된다.
하고 싶은 대로 원하는 재료를 넣은 뒤
간은 간젓장으로 한다.
된장만 넣고 간을 맞추는 것보다 된장을 순하게 풀고
간젓장을 조금만 넣어주면 아주 시원한 된장국이 된다.
간젓장은 각종 국, 찌개, 나물, 찜, 조림에
감칠맛을 내는 데 아주 좋다.

☑ **간젓장**

☐ 각종 젓국, 멸치액젓, 까나리액젓, 정어리액젓 등을
집간장과 1:1로 섞어 만든다.
(아예 처음부터 어간장으로 섞어놓은 장도 파니
이걸 써도 좋다.)

국물이 싫으면 자작한 된장찌개도 좋다.

전부 넣어 바그르르 끓여 밥과 먹는다.

건강한 식생활은 온 자연을 내 몸에 넣어주는 거다.

마구잡이
요리 비법

나는 정식으로 학원에 등록해서 요리를 배워본 적이 없다.
다만 일 년에 한두 번 내지 서너 번,
나와 붙어다니는 친구들이 있다. 전업주부와 셰프들이다.
요리해서 먹고, 여행을 다닌다.
그래서 내가 이 그룹의 이름을 '요행'이라고 지어보았다.
우리끼리 먹고 가르치고, 레시피도 공유한다.
레시피를 공유해도 간은 각자 알아서 맞춘다.

내가 요리에 있어서 가장 중요하게 생각하는 건,
예측하지 못한 재료의 만남이다.
기회가 되어 쿠킹클래스에 가서도

늘 유심히 보고 배우는 것은 재료의 조합이다.
내가 왜 이 '조합'에 목숨을 걸게 되었느냐면
너무 바빴기 때문이다.
눈코 뜰 새 없이 배우 활동을 하면서
애들 먹일 음식까지 만들 시간이 없었다.
그래서 한방 해결책을 찾은 거다.
콩나물과 무 생채, 콩나물과 느타리버섯,
콩나물과 봄동과 팽이버섯을 같이 볶았다.
한번에 여러 재료를 먹을 수 있으니까.
갖가지 재료를 때려넣는 것이지만
내 음식을 먹어본 사람들은 열이면 열, 다 좋아한다.

"선생님, 이거 너무 맛있습니다."
"세상에 이것만큼 간단한 요리가 없는데요."
"간단하다고요?"
"일단 돼지고기를 깔고, 저민 무와 함께
들기름과 마늘을 넣고 푹 끓여요.
그다음 양파를 얹고 물을 붓고 두부를 넣고,
마지막으로 새우젓과 간장으로 간을 하면 끝.
뭐가 복잡해요? 간단하죠."
"가만 보면 선생님의 요리에는 순서가 있네요.
재료를 막 때려넣으면 맛이 없어요."

맞다. 재료마다 익는 순서가 다르고,
어떤 재료에서 맛을 뽑아내 메인으로 삼을지가 중요하다.
때려넣는다 해도, 다 노하우가 있어야 맛있는 법.
그렇지만 이렇게 하지 않아도
집에서 만들어 바로 먹음 다 맛있다.
순서도 맘대로. 일단 시작이 중요하니까.
이렇게 막 하다보면 아! 깨닫는 순간이 온다.

'김치의 가짓수는 전국 어머니 명수만큼'이라 했다.
요리는 같은 재료라도 레시피가 수십 가지다.
순서가 너무 복잡하다 생각되면
그냥 한꺼번에 다 넣고 끓여보라.
아무리 그래도 사 먹는 거보다 좋지 않겠나.

나는 요리를 할 기회가 없었던 사람들,
갑자기 살림을 합치거나 홀로 사는 삶을 택하게 된 이들에게
내 마구잡이 요리 비법을 알려주고 싶다.
모든 요리에 정해진 것은 없다.
틀 속에 가두려고 하는 레시피가 나를 참 불편하게 한다.
물론 그걸 좋아하는 사람도 있겠지만, 나는 아니다.
겨우 때맞춰 식사 한끼 만드는 사람들이
정량에, 재료에, 레시피에 갇히지 않았으면 좋겠다.

내 맘대로 레시피, 네 맘대로 요리도
충분히 맛있다는 걸 알려주고 싶다.

그러려면 한 가지 요리에 세 번의 시도를 해야 한다.
간도 새롭게 맞추고, 재료도 좋아하는 걸로 바꿔봐야 한다.
간은 조리하는 동안 자꾸 맛을 보면서 맞춰나가면 된다.
소금만 넣고도 맛난 음식은 만들어진다.
하고 싶단 생각이 제일 중요하다.
요리하기 전에 밑그림을 그린다는 생각으로,
주재료가 뭔지 어울리는 건 뭔지,
간장을 쓸 건지 된장이나 고추장을 쓸 건지
생각해보고 실험적으로 조금씩 시도해보는 거다.

나만의 맛을 세 가지만 갖고 있으면
친구들이나 식구들과 맛있게 만들어 먹을 수 있다.
맛있게 한 가지를 해보고 사람들이 좋아라 먹으면
또 한 가지를 보태어보고,
이런 식으로 나만의 요리를 만들어나가는 거다.

때려넣어도 맛있는 조합:
콩나물 요리

☑ **콩나물 무 생채**

- □ 콩나물에 소금 살짝 넣어서 익히고 식힌다.
- □ 채칼을 사용해 무를 채 썬다.
- □ 채 썬 무에 고춧가루, 식초, 매실청, 깨소금을 넣고 버무린다.
- □ 여기에 삶은 콩나물을 같이 버무려준다.

아삭아삭한 콩나물은

다른 채소로 만드는 생채와도 잘 어울린다.

☑ 느타리버섯 콩나물 볶음

- ☐ 콩나물은 위와 똑같이 준비한다.
- ☐ 느타리버섯을 소금에 살짝 절여 물기를 꾸욱 짠다.
- ☐ 팬에 들기름이나 올리브오일을 두르고 버섯을 볶는다.
- ☐ 삶아놓은 콩나물을 넣고 슬쩍 섞듯이 함께 볶는다.
- ☐ 간젓장으로 간을 맞춘다.

'꾸욱'은 물기가 살짝 남게, '꼬옥'은 물기가 없게 짜는 것.
내 식의 표현이다.

☑ 콩나물 봄동 팽이버섯 볶음

- ☐ 콩나물은 역시나 똑같이 준비한다.
- ☐ 봄동 잎을 따서 세로로 가늘게 썬 뒤에
  소금 솔솔 뿌려 절이고, 물기를 꾸욱 짠다.
- ☐ 봄동을 팬에 볶아주다가 끝 무렵에 팽이버섯을 넣어준다.
- ☐ 마지막에 삶아둔 콩나물을 넣고 버무리듯 볶는다.
- ☐ 소금이나 간젓장을 조금 넣어준다.

콩나물은 숙주로 대체해도 좋다.

해봐야 느는 건
요리도 마찬가지!

"요리는 해볼수록 자신감이 생기고
한 번, 두 번, 열 번 하다보면
자기만의 맛을 내는 법을 알게 돼!"

어느 시골에서 우연히 만난,
요리를 무척이나 잘하시는 한 할머님께
'어쩜 이리 요리를 잘하시냐, 언제부터 잘하셨냐' 묻자
돌아온 그분의 말씀이다.
옳은 말씀! 처음부터 잘하는 사람은 없다.

어떤 사람들은 화려한 요리부터 시작하는데,

실패할 확률이 높다.

밥 짓기로 시작해 채소 요리부터 하자.

처음에는 싱싱한 오이나 당근을 사다가 썰어서

날 것으로 장에 찍어 밥과 먹어보는 거다.

그다음에는 오이와 당근을 소금에 절여

하루이틀 뒤에 먹는다.

다음날에는 거기에 고춧가루와 매실청을 슬쩍 넣어본다.

그러다 양배추를 사서 쪄보고,

감자를 삶거나 볶거나 조리는 거다.

양파도 곁들여보고.

이렇게 요리를 조금씩 시작하다보면

내가 만든 음식을 좋아하게 되는 날이 온다.

그럼 이러는 내가 기특하게 느껴지고,

누군가와 나눠먹고 싶어진다.

메뉴가 하나에서 셋, 다섯으로 점점 늘어나게 된다.

그렇게 되면 나는 집에서 밥을 해 먹는 사람이 되는 거다.

몸이 건강해지면 미각도 살아난다.

짜고 맵고 달고 쓰고 신맛을 알게 되면

어떤 재료에 어떤 양념이 어울릴까 스스로 생각하게 된다.

맛의 빈구석을 알아채고

무엇이 더 들어가야 맛있을지 딱 맞추는 기쁨이 생긴다.
먹어보는 것도 중요하지만 해보는 것이 더 중요하다.
인생에서 무엇이든 제 손으로 직접 해야 느는 건
요리도 마찬가지다.

깨끗한 소금과
유기농의 맛

나에겐 농부 친구들이 많다.
관심사가 워낙 건강이다 보니 농부들과 어울리게 되었다.
농부 친구가 많아서 좋은 재료를 구하기도 수월하고
더불어 좋은 철학을 배울 수가 있다.
땅을 살려야 한다는 철학, 깨끗한 환경이 중요하다는 사실.
예전부터 이런 생각을 해왔다.

'땅에다가 저렇게 약을 치면 어쩌나?
저기서 나온 재료는 독이 아닌가?'

1982년 언니가 오랜 외국 생활을 접고 귀국했을 때였다.

언니의 배가 너무 불렀기에 생리는 제때 하냐고 물으니
보름에 한 번 하는 것 같단다.
그 말에 놀라 내 산부인과 주치의에게 언니를 데리고 갔다.
물혹이 임신 8개월만 하다고
빨리 수술해야 한다는 얘기를 들었다.
배를 가르고 보니 물혹 속에 암이 있는,
아주 위험한 상황이었다.
나는 둘째 임신 4개월인 상태로 언니의 병간호에 돌입했다.

난소암 말기였던 언니가 항암치료를 거부하자
주변에서 언니에게 유기농 채식주의자가 되라고 했다.
땅에서 난 좋은 재료들만 먹으라고.
그 당시 우리나라에 '유기농'이라는 말도 없을 때다.
수소문 끝에 삼육대학교의 유기농 채소를 구해다 먹으면서
언니는 일 년 동안 무염식과 완전 채식을 했다.
곁에서 지켜보며 식단을 잘 지킨 줄 알았으나,
나중에 들으니 참지 못하고 아무도 없을 때
몰래 김치나 간이 들어간 음식을 먹었다고도 한다.
그렇게 간이 된 걸 먹으면 눈이 번쩍 떠지고 정신이 났단다.

생각해보면 소금이 사람 몸에 나쁜 것은 절대 아니다.
예전에도 어르신들이 그랬다.

싱겁게 먹는 사람은 병이 많은데
젓갈 많이 먹고 짭짜름하게 먹는 사람은 건강했다고.
실제로 인체의 염도를 0.9퍼센트는 유지해줘야 한단다.
부족하면 염증이 되고, 과하면 문제를 일으킨다.
우리 몸에 소금은 절대적으로 중요하고 필요하다는 뜻이니
무조건 끊어야 할 재료는 아니겠다.

오늘날 소금을 적으로 여기는 이유는
소금이 깨끗하지 않아서 그런 게 아닐까 싶다.
불순물을 가라앉히면 먹을 수 있는 소금은 정말 소량이다.
흔히들 사 먹는 소금 결정의 단면을 확대해보면
누구나 놀라서 소금 먹기를 주저할 것이다.
우리 선조들은 바닷물을 끓여서 만드는 '자염'을 먹었다.
지금은 몇 군데 빼고는 거의 쓰지 않는 방식이다.
끓이는 과정에서 불순물도 어느 정도 제거될 터이니
옛 소금이 지금보다 더 깨끗하지 않았을까?
안 먹는다고 능사가 아니고, 아무거나 먹으면 도루묵이다.

우리집 거실 한편에는 소금을 담은 항아리들이 있다.
파타고니아에서 온 소금, 1000℃에 끓여서 정제한 소금,
후쿠시마 원전 사고가 터지기 전 우리나라의 천일염이 있다.
장도 그 소금으로 담그고, 절임이나 음식 간도 그걸로 한다.

깨끗한 소금을 먹기 위한 나름의 노력이다.

그렇게 좋은 소금과 유기농을 찾아다녔는데,

유기농 재배에도 비료가 있고 농약이 있다는 걸 알게 됐다.

어쨌든 유기농도 약을 친다.

그럼에도 대놓고 치느냐 안 치느냐는 다를 것이니,

나쁜 제초제를 뿌리지 않은 재료들을 찾아다니게 됐다.

좋은 재료 구해서, 잘해 먹고 건강하기가 힘든 세상이다.

당시 3개월 산다던 언니는 그뒤로 40년을 더 살고 있다.

나이들수록 맹활약 중이다.

그러고 보니 어릴 때도 하루 다섯 끼 먹고

응가는 세 번씩 내보냈단다.

잘 먹고 잘 자고 잘 싸는 건 역시 최고의 건강 비결이다.

건강한 땅을 지키는 건강한 사람들

채소나 과일이 무지막지하게 크다는 건,

약을 치고 영양제를 넣었다는 거다.

자연적으로 작물이 크게 자라기는 하늘의 별 따기다.

약과 영양제를 먹고 자란 건 맛도 없고 금방 썩는다.

그래서 여기저기 농장을 찾아다녔다.

내가 제일 좋아하는 농장을 꼽으라면 평화나무농장이다.

풀무원 창시자인 원경선 선생님의 따님 원혜덕 씨와

사위 김준권 씨가 포천에 만든 생명역동농법 농장이다.

생명역동농법은 우주 별자리의 변화에 따라

씨를 뿌리고 거두고,

화학 재료로 만든 것이 아닌 자연 재료로 거름을 만들어
곡식과 채소를 기르는 방법이다.

이곳의 회원들은 일 년에 한 번씩 모여서 거름을 만드는 등
계속 흙을 살리는 작업을 한다.
이렇게 키운 채소는 유기농 인증을 받을 필요도 없다.
건강한 땅에서 자란 재료는 냉장고에서도 오래간다.
몇 년 경험한 바다. 얼마나 오래 버티나 실험도 해봤다.
살면서 이런 사람들을 알아가는 것이 참된 기쁨 같다.
비료와 제초제를 거부하면서,
땅을 되살려야 한다는 생각을 가진 사람들.
토종 종자를 보존해나가는 사람들.

일 년에 두어 번 농장에 가서 밥을 지어 먹고
채소들을 가져올 수 있을 만큼 가져다
집에서 뭐든 바로 해 먹는다.
남은 것은 데쳐서 냉동 보관하거나
소금에 절여서 오래 두고 먹는다.
먹을 때마다 그 향과 맛의 깊이에 감탄이 절로 나온다.
쑥갓, 루콜라, 아욱, 배추, 무, 고추, 시금치, 토마토
다 각기 고유의 맛을 뿜어대니 별다른 양념이 필요 없다.
생명이 있는 곡식도 빼놓을 수 없다.

작물을 자연에 맡기며 키우는
자연농법의 농부들과 그들의 재료들도 사랑한다.
자기 색깔이 확실한, 그야말로 방목시킨 자연의 재료들은
최고로 멋지고 맛있다.
이런 분들이 맘놓고 농사짓고 어려움 없이 사는 세상이기를.
그러려면 소비자들이 똑똑해져야 하지 않겠나?
우리가 먹는 곡식, 채소, 과일, 고기, 생선이
어디서 어떻게 자라고, 어떤 경로로 우리 손에 들어오는지
잘 따질 줄 알아야 한다.

프랑스에서는 일찍이 어린이들에게 '미각교육'을 시킨다.
식재료를 직접 만져보거나 냄새를 맡으며
어떻게 요리해 먹을 수 있는지를 가르치는 거다.
우리나라도 그런 교육에 더 힘써야 한다.
입으로 들어가는 먹거리가 가장 중요하다.
밖에서 음식을 사 먹을 때도
이 음식에 무슨 재료가 들어가 있나.
그것들은 어디서부터 왔나.
자연인가 인공인가 화학제품인가. 몸에 이로운가 해로운가.
확인하고 식별할 줄 아는 법을 가르치자!

어쩔 수 없이,
제주

'입말 음식'이란 구전 요리를 말한다.

입에서 입으로 전해지는 요리.

관심이 생겨서 찾아보니 요리책도 있길래

펀딩까지 참여해 책을 샀다.

책에서 할머니 아주머니들의 이야기가 참 좋았다.

레시피에 계량도 따로 없었다.

구전 요리니 계량이 있을 수 없는 거다.

난 이런 요리책을 좋아한다.

주재료, 부재료, 양념만 쓰여 있는 요리책.

화려하지 않고 한 손에 펼치기 좋게 만든 책.

나는 사람을 볼 때 눈 먼저 보고, 그다음 손을 보기 때문에
손에 대한 기억이 뇌리에 팍 남는다.
그런데 간혹 가다 요리책 사진들을 보면
그 사람의 손이 아닐 때가 있다.
다른 사람이 한 음식에 레시피와 글만 써서 낸 책들,
그런 걸 보면 배신감이 들면서 신뢰가 사라진다.
반면 우리에게서 사라져가는 구전 음식을 연구하고,
직접 만들어보고 책으로 내는 이런 작업을 응원한다.

그 책에는 제주의 토종 씨앗들에 대한 얘기가 나온다.
제주도에는 크기가 코딱지만 할지라도
집집마다 '우영팟'이라고 부르는 텃밭이 있는데,
거기에 일 년 동안 식구들이 먹을 온갖 걸 다 심는다.
제주는 일 년 내내 채소가 자라니까.
그래서 나는 제주를 좋아했다.
땅도 샀다. 늙으면 그곳에서 살고 싶어서.

지금은 제주가 너무 달라졌다.
중국인들이 몰려들면서, 곶자왈의 10퍼센트가 없어졌단다.
곶자왈은 제주의 폐다.
절대 건드리면 안 되는 제주의 폐를 건드린 게 아닌가.
땅은 망가졌고, 이젠 제주만 생각하면 우울해진다.

그런데도 나를 제주로 부르는 건

제주의 식재료들이다.

바다에서 나오는 재료들,

전복, 뿔소라, 멜, 자리돔, 옥돔, 갈치, 백조기, 성게알, 미역,

다시마부터 시작해 땅에서 나는 뿌리채소들,

대표적으로 콜라비, 당근, 무, 단호박까지!

다른 곳과 비교할 수 없을 재료들이다.

이걸로 요리를 하면 별 양념 없이도 맛이 기가 막힌다.

지금도 제주의 식재료들을 가끔 택배로 주문해서 먹는다.

이런 이유로 끝끝내 나는 제주와 헤어질 수 없다.

제주 어멍들의 오일장

제주에 가면 제주 오일장은 꼭 가봐야 한다.
삼촌들이 우영팟과 바다에서,
산에서 들에서 캐다 파는 것부터
시장 안에서 만들어 파는 먹거리까지 나를 자꾸 유혹한다.
이젠 육지 사람들도 오일장을 많이 찾아서
관광버스가 관광객들을 그곳으로 데리고 올 정도로
인기가 많아졌다.

하지만 나는 인파에 아랑곳없이 제주에 갈 때마다
오일장을 돌아다니며 재료들을 사서 나르고,
배추나 무를 집으로 부쳐 김치를 담그는 등

그곳의 먹거리들로 제주를 흠뻑 즐겼다.

제주 육개장, 몸국, 깅이(게)죽, 멜국, 멜튀김, 각재기(전갱이)국,
소라 전복 젓갈, 자리젓, 아강발(새끼 돼지 족발),
메밀 쌈, 채소 쌈들…
깨끗한 바다 밭과 땅 밭의 재료들이
그 자체로 싱싱하고 좋으니
제주 요리들은 조리법도 단순하며 맛도 깔끔하다.

풋마늘대 장아찌를 제주에서는 '마농지'라고 부른다.
육지에서는 마늘이나 마늘종으로 담그는데
제주에서는 마늘대로 담근다.
이게 어찌나 맛나던지
제주에서 마늘대를 주문해 담가 먹기도 했다.
무말랭이를 더해서 함께 먹으면 그 맛 또한 일품이다.

☑ 제주 마농지

- ☐ 마늘대를 1-2센티 길이로 썬다.
- ☐ 무말랭이는 씻어서 준비한다.
- ☐ 집간장, 원당, 현미식초를 1:1:1로 섞어 맛간장을 만든다.

□ 이걸 끓였다가 한 김 식힌 후에 준비한 재료에 붓고
한 달 뒤부터 맛나게 먹는다.

이 밑반찬은 밥이나 국수, 고기나 생선
어디에나 잘 어우러지고 맛있다.
(단점: 고기를 너무 많이 먹게 된다.)
제주 분들은 생선을 조릴 때도 이 마농지를 깔고 조린다.
생선 비린내를 아주 잘 잡아내고 맛있게 조려진다.

제주 어멍, 할망들이 땅 밭과 바다 밭을 오가며 일하고
자식 키우며 살림하고 사시다보니
집안 요리가 복잡할 수가 없다.
나 역시 그 마음 너무 잘 알기에
그분들을 존경하고 그 단순한 재료의 맛을 사랑한다.

뜨끈한 국물 한 숟갈:
제주 요리

☑ **제주 몸국**

☐ 오일장에서 산 말린 몸을 물에 깨끗이 씻어 건져놓는다.

☐ 돼지 등뼈를 소금물에 담가 핏물을 빼고 푸욱 삶는다.

☐ 뼈에서 살을 발라낸 뒤, 뼈만 다시 끓여 국물에 보탠다.

☐ 건져놓았던 몸을 국물에 넉넉히 넣고,
다진 마늘과 함께 푸욱 끓인다.

☐ 간젓장과 소금으로 간을 맞춘다.

☑ **제주 육개장**

☐ 돼지 등뼈는 위와 똑같이 준비한다.

☐ 고기가 분리되도록 푹 삶아준 뒤 곱게 빻는다.

☐ 고사리도 불린 뒤에 믹서기에 갈아준다.

☐ 메밀가루 섞어 전부 함께 끓인다.

☑ **돼지 등뼈 우거지/시래기 탕**

☐ 돼지 등뼈는 삶는 것까지 위와 똑같이 준비한다.

☐ 삶은 우거지나 시래기를
된장과 고추장 3:1 비율의 양념에 버무린다.

☐ 등뼈 국물에 우거지/시래기를 넣고 포옥 끓인다.

언제든 가고픈,
통영

제주만큼 좋아하는 곳, 통영!
그러고 보면 산과 바다가 모두 있는 곳을 좋아한다.
바다보다는 산을, 산이라기보다는 숲을 좋아하니
바다가 보이는 숲이 있다면 그대로 마음을 빼앗긴다.
그전에 내 마음속에는 오로지 제주뿐이었는데
몇 번 오가면서 통영도 만만찮게 애정하게 되었다.

제주는 배나 비행기를 타야만 갈 수 있지만
통영은 차로도 갈 수 있다는 장점이 있다.
누비 작가 수키, 옻칠 작가 미서니, '오월' 셰프 현정이 등
도시를 함께 즐길 수 있는 그곳 사람들이 있고

그곳의 음식도 내 입에 딱 좋다.
동영의 서호시장은 생기가 펄펄 넘쳐 매력적이다.
간편하게 하나씩 집어먹는 충무김밥과 꿀빵,
가슴 뻥 뚫리는 복국, 봄을 알리는 도다리 쑥국,
먹어보면 감칠맛에 놀라는 볼락 섞박지,
활어와 건어물을 비롯한 온갖 해산물과 채소까지!
멀다고 한들 통영을 갈 이유가 차고 넘친다.

먹을 것만 넘칠까, 즐길 것도 넘친다.
봉수골에는 글들이 속삭이는 '봄날의책방',
다채로운 전혁림 미술관과 모노드라마 사진관이 있고
지나칠 수 없는 단팥죽 집과
밑반찬이 예술인 팔도식당, 수봉식당이 있다.
다리만 건너면 거제도가 있고,
가까운 거리에 보석 같은 섬들이 많이도 숨어 있다.
거제 외포항에는 대구 덕장이 있는데 철에 맞춰 가보면
절경이 펼쳐지는 데다가 대구 코스 요릿집까지 있다.

수를 셀 수 없을 정도로 먹거리와 볼거리가 가득하다.
통영을 한 번도 안 간 사람이 있을지언정
한 번만 간 사람은 없을 거다.
가까웠다면 매일 갔을 거다. 언제든 가고픈 서호시장으로!

온몸에 퍼지는 바다 향: 통영 요리

☑ **멸치 쪽파 무침**

- ☐ 중소 멸치를 팬에 덖어서 눅눅한 기운과 비린 맛을 없앤다.
- ☐ 볶은 멸치는 그릇에 덜어놓는다.
- ☐ 쪽파는 다듬고 3센티 길이로 자른다.
- ☐ 고춧가루, 매실청, 깨소금, 젓국을 넣고 버무린다.
- ☐ 덖어놓은 멸치도 같이 버무리고 들기름으로 맛을 보탠다.

멸치와 쪽파의 비율은 쪽파가 멸치보다 좀 많은 정도로.

멸치 자체에 간이 있어서 소금은 살짝만 넣는다.

☑ 도다리 쑥국

- ☐ 무를 저미고 그 위에 물을 붓는다.
- ☐ 마늘도 넣고, 소금 간해서 무가 익을 때까지 끓인다.
- ☐ 토막 낸 도다리를 넣고, 익어갈 무렵 애기 쑥을 넣어준다.
- ☐ 대파 숭숭 썰어 넣는다.

후루룩 먹으면 바다를 온몸에 넣을 수 있다.

☑ 반건조 대구찜

- ☐ 살코기는 두툼하게 썰어 초간장이나 양념장에 찍먹 한다.
- ☐ 남은 토막은 씻어서 냄비에 물 자박하게 붓고
  소금 약간 넣어 약불에 익혀준다.
- ☐ 다 익으면 꺼내서 초간장에 찍어 먹는다.

대구탕이야 어디서나 먹을 수 있지만,
반건조 대구는 이렇게 먹으면 아주 깔끔하고 깨끗한 것이
별미가 따로 없다.

☑ **멍게 비빔밥**

☐ 통영에서 손질해 잘라놓은 멍게를 주문한다.

☐ 멍게 씻어 물기 빼고 먹기 좋은 크기로 썬다.

☐ 소금 솔솔 뿌리고 버무려놓는다.

☐ 김을 잘게 자른다.

☐ 미나리 씻어 3센티 길이로 자른다.

☐ 무순도 씻어 준비한다.

☐ 소금 뿌려놓은 멍게는 체에 걸러 물기를 빼준다.

☐ 갓 지은 밥에 멍게와 채소를 올리고 참기름 한 바퀴 두른다.

☐ 스윽슥 비벼 통영의 바다를 먹는다.

채소가 없다면 소금에 살짝 절인 멍게만 넣고 비벼 먹어도 바다 향이 일품이다.

양념장은 취향에 따라, 간장 고추장 뭐든 좋다.

☑ **아귀 수육찜**

☐ 생선가게에서 '아귀 손질된 거 토막내주세요'라고 말한다.

☐ 집에 와서 씻고 물기를 빼놓는다.

☐ 콩나물, 미나리 듬뿍 준비해서 씻어놓는다.

☐ 냄비에 콩나물 깔고 아귀 올리고 소금 솔솔 뿌린다.

(아귀에도 간이 되어 있다. 소금을 적게 넣어야 한다.)

□ 콩나물 비린내가 가시면 뚜껑 열고

미나리 올리고 한 김 익힌다.

아귀를 수육으로 먹으면 엄청 시원하고 담백하다.

소스는 집간장과 다시마식초를 1:1, 고추냉이 살짝.

콕 찍어 입이 아귀가 되도록 와구와구 맛나게 먹는다.

귀하디귀한
제철 식재료

마트에 가서 가장 싸고, 양이 많고, 질이 좋은 것을
장바구니에 넣어보면 그것이 곧 재철 재료들이다.

봄에는 냉이나 달래, 방풍나물, 취나물, 원추리, 쑥, 머위.
여름에는 가지나 오이, 당근, 청경채, 루콜라, 감자.
가을에는 아욱(봄보다 가을 아욱이 더 맛있다), 고구마.
겨울에는 시금치, 봄동, 무, 배추.

이렇게 보니 잎, 뿌리, 줄기를 다 골고루 먹는 것 같다.
봄여름가을겨울 사계절이 있는 우리나라 좋은 나라는
먹거리가 계절마다 때맞춰 나오고

그 먹거리 재료로 만드는 계절별 음식이 많기도 하다.
(그래서 우리나라 음식 종류가 많은 것 아닐까?)
그러니 사람도, 계절별로 나오는 것을 먹어줘야 건강하다.
물론 하우스 재배가 아니라 노지 재배를 기준으로!

하지만 요즘은 기후변화로 노지 작물들이 점점 귀해졌다.
계절의 구분이 없어지고 거의 다 하우스 재배다.
때문에 요즘 애들에게 "여름에 나는 과일이 뭐냐?" 물으면
대부분 대답을 못한다.
개중에는 딸기가 겨울 과일인 줄 아는 아이도 있다.
우리는 점차 자연의 힘으로
제대로 자란 먹거리를 만나기가 어려워진다.
옛날 시금치 한 단의 영양과 맛을 내려면
지금의 것 스무 단은 먹어줘야 한다는 이야기를 들었다.
땅 기운 받고 자란 것들이 우리 몸에 훨씬 좋다는 뜻이다.

단순히 자연에서 자란 재료가 줄어드는 것만이
문제가 아니다.
기후변화는 곧 전 세계를 식량난으로 허덕이게 만들 거다.
이미 어느 지역들은 그렇게 되고 있으니 말이다.
그런데 모든 물건의 가격이 올랐는데,
쌀값이 떨어졌다는 소식에 가슴이 철렁했다.

이러다 우리나라, 쌀까지 전부 수입해야 하는 거 아닌가?
그럼 농부님들은 농사짓기가 점점 어려워 빚만 쌓일 테고,
종국엔 농사일을 놓으실지도 모르는 일이다.
지금도 논밭이 모자라 환경이 점점 나빠지는데 말이다.

나 사는 일산과 가까운 김포는
그 귀한 논밭이 다 사라지기가 무섭게 아파트가 들어섰다.
빽빽한 건물들을 볼 때마다
그곳에서 농사를 지으셨던 친구의 할아버지가 생각난다.
그땐 너른 평야가 참 좋았는데….
땅이 땅의 역할을 못할까, 그것이 오늘날 걱정거리다.

숲속 풍미가 가득한 버섯

계절에 관계없이 먹는 재료는 버섯이다.

느타리, 표고, 양송이, 황금팽이, 팽이, 새송이, 송화….

애들 어렸을 땐 다져서 먹였고, 요즘엔 그냥 볶아서 먹는다.

누가 그러더라.

차세대 식재료 중에서 가장 오래 살아남아

우리가 먹거리로 만날 수 있는 건 버섯밖에 없다고.

향이 강한 능이, 송이, 표고는

그 향으로 일품요리가 되니 다른 것과 섞기보다는

향을 즐길 수 있는 맛으로 요리를 하는 것이 좋다.

새송이, 느타리, 팽이는 자기 향이 강하지 않아서

다른 채소들 또는 육류, 생선 요리에 잘 어울리니
여기저기 섞어서 볶거나 끓이거나 구우면 좋다.
그냥 여러 가지 버섯을 팬에 구워
소금 솔솔 뿌려서 먹어도 맛있다.
각종 버섯을 썰어 팬에 기름을 두르고 다 함께 볶아준 뒤
소금과 간젓장으로 간을 맞춘다.
여기에 좋아하는 것을 첨가해도 좋다.

기름에 볶아도 좋지만
물을 자작하게 넣고 졸이듯이 끓이면
밥과 함께 곁들여 먹기에 딱이다.

☑ 표고 밤 목이버섯 무 조림

- ☐ 불린 표고 또는 생표고와 목이버섯을 큼직하게 썬다.
  (조림 요리할 때에는 불린 것이 더 풍미가 좋긴 하다.)
- ☐ 밤과 무도 같은 크기로 썰어준다.
- ☐ 물을 자박하게 부어서 한번에 조린다.
- ☐ 약한 불에 뭉근히 반쯤 졸여지면 목이버섯을 넣는다.
- ☐ 집간장만 넣거나 간젓장도 섞어서 간을 맞춘다.
- ☐ 조청이나 원당을 약간 넣어준다.

□ 마지막으로 들기름을 둘러준다.

이렇게 만든 조림을 밥 위에 얹으면 버섯 덮밥 완성!

숲속 풍미가 입안에 가득 퍼진다.

이것만큼은 꾸준히,
지치지 않고

시들해지는 고구마, 비트, 마를 손질하고 조리해
점심을 맛나게 먹었다.
점심을 먹고도 또 계속 이것저것 정리하고 손질하던 끝에
뭔가 일거리를 찾아낸다.

발아 렌틸콩을 불리고, 서리태를 불리고, 고사리를 불리고,
밤묵 말린 거를 불렸다. 차례차례 삶는다.
삶은 렌틸콩으로는 카레를 만들고,
삶은 서리태는 리코타 치즈에 넣을 준비를 했다.
잠시 우유와 생크림을 사러 마트에 들렀다.
돌아오는 길에 엄마 댁에 국과 반찬거리를 드리고

졸고 계신 엄마를 깨워 얘기를 나누다 돌아왔다.

다시 부엌으로 가서
불려놓은 밤묵과 채소, 버섯, 고기를 냄비에 차곡차곡 쌓고
잡채 만들기를 시도했는데 불 조절 실패로 바닥이 탔다.
부엌 놀이 이제 그만하라는 아들의 지청구를 들었다.
다음엔 성공해야지.

뭐에다 뭐를 더하고 이것과 저것을 만나게 해주고,
양념은 어떻게 할지 생각하고,
생각대로 착착해서 원하는 맛이 나오면 뛸 듯이 기쁘다.
피곤에 지쳐서도 부엌 놀이 한판이면 피로가 풀린다.

지금껏 살아오면서
난 무엇을 제일 즐겁게, 잘했을까?

배우니까 연기일 거라고 생각할지도 모르겠다.
글쎄, 나는 내가 좋아하는 연기나 하고 싶은 연기,
이런 걸 생각하며 살지 못했다.
주어지는 대로 기를 쓰며 소화해내기 바빴다.
내게 연기는 피할 수 없는 일, 즐거웠지만 힘든 일이었다.
언제나 치열하게 임했다.

하면서 마냥 즐겁고 보람 있었던 것,
열심히 살아내면서 내 손에서 끝까지 놓지 않은 것은
오히려 음식 만들기다.
부엌일은 매일 해도 지겹지 않게 꾸준히 해왔다.
이도 저도 크게, 빛나게 잘한 것 없이 살았지만
이것만큼은 내가 꾸준히 해온 일이다.

고소한 견과류가 듬뿍!: 렌틸콩과 캐슈너트 카레

☑ **렌틸콩 카레**

□ 렌틸콩은 물에 씻어 한 시간가량 불린다.

□ 콩에 물을 넉넉히 붓고 삶은 뒤 건져놓는다.

□ 양파와 양송이버섯을 다져서
코코넛 기름(사실 아무 기름이나 상관없다)에 볶는다.

□ 재료가 익어갈 즈음 카레 가루를 넣어 볶는다.
(카레는 다 섞어놓은 것을 사면 된다.
강황 가루, 고수 가루, 커민 가루 등
여러 가지 향신료를 섞어놓은 것이 있다.)

□ 삶은 렌틸콩을 넣는다.

☐ 코코넛 우유나 물을 붓고 끓여서 소금 간을 한다.

코코넛 기름이나 코코넛 우유는 인터넷에서 사면 싸고 좋다.

코코넛 우유는 파우더로도 판다.

☑ 캐슈너트 카레와 시금치 카레

☐ 캐슈너트를 씻어 물에 담가뒀다가

믹서에 갈아 렌틸콩 대신 넣어주면 된다.

☐ 생시금치를 믹서기에 갈아서 렌틸콩 대신 넣는다.

☐ 캐슈너트나 시금치 재료만 다르고 나머지는 똑같다.

☑ (보너스 레시피) 캐슈너트 찍먹 소스

☐ 캐슈너트를 깨끗하게 씻고 반나절 불린다.

☐ 믹서기에 물을 자박하게 붓고

올리브오일, 소금, 마늘, 크림 머스터드를 넣고 갈아준다.

☐ 거기에 레몬즙과 꿀을 조금 넣고 한번 더 갈아준다.

마요네즈 대신 캐슈너트 소스를 넣어도 맛나다.

되직하게 되면 찍먹, 묽게 되면 부먹으로 활용한다.

요리는 늘 되는 대로!

2부

티타임

인생의 새로운 맛, 기쁨, 환희 속에서
열심히도 뭉쳐 다녔던 시간.

페이스북은
창문이야

"너도 메이크업 좀 바꾸고, 평소에 립스틱도 좀 발라.
네가 공인이라는 사실을 인지하고 살았음 좋겠어!"

우리 언니가 나만 보면 하는 소리다.
그렇지만 나는 됐다.
이대로 그냥 살 거라고 대답한다.
나를 공인으로만 보여줘야 할 이유는 없잖아.
이제는 아들도 잔소리를 하기 시작한다.

"책을 낼지도 모르고 유튜브를 할지도 모르는데
레시피를 왜 페이스북에 다 공개해?"

하지만 페이스북은 나를 위해서 올리는 거다.
남들 보라는 게 아니다. 그리고 누가 보면 어때?
어차피 하늘 아래 레시피는 새로울 게 없는데.

사실 나의 인터넷 활동이라고 해봤자
다른 사람들이 내 요리와 글을 보고 댓글을 달아주면
거기서 얘기를 주고받을 뿐이다.
나처럼 외출을 싫어하고 집에만 박혀 있는 사람은
사회생활이랄 게 없다.
밥도 늘 먹던 사람이랑만 먹지, 나가는 곳도 딱히 없다.
일이 한창 바쁠 때도 지금처럼 한가할 때도
내 삶은 큰 변화가 없다.

그러다 팬데믹이 길어지면서 '집콕' 하는 시간도 길어졌다.
우연한 기회로 집에서 밥해 먹고 산책하는 일상을
인터넷에 올리기 시작했다.
배우 양희경이 아닌 '그냥' 양희경의 이야기에
많은 친구들이 댓글 달아주고 공감해주었다.
매일매일이 재미로워졌다.
세상과의 교류가 차단된 상태로 살아왔던 내게,
페이스북이 곧 세상을 보는 창이 된 것이다.

나는 주로 농축해산물들,
그걸 생산하는 사람들의 계정에 관심이 간다.
그들이 어떤 식재료를 어떻게 생산해내는가가
나의 주 관심사다.
요리사들이 올리는 요리를 보며 따라 해보기도 하고,
페이스북 친구들이 올리는 영화나
넷플릭스 다큐멘터리를 따라 보고,
책 정보도 얻어듣는다.

내가 아무래도 관심이 안 가는 건 정치, 경제 쪽 이야기.
이래서 평생 집 한 채가 다인 인생을 산다.
투자도 모르고 투기도 모르는 삶.
90원이 있어도 10원을 융통할 줄 몰라
100원짜리를 못 사고,
돌다리 두드리고 두드리다
건너지 못하고 되돌아오는 게 나다.
페이스북 친구들의 세계는
이런 나의 안목과 관심사를 넓혀준다.
우물 안 개구리 나름의 세상 구경이다.

이제는 내 삶을 들여다볼 때

인터넷으로, SNS로 1도 모르는 남의 인생을
본의 아니게 알게 되는 세상이 됐다.
가까운 친척이나 지인들도 근처에 살지 않으면
일 년에 한두 번 명절이나 생일에 보는 게 다였는데 말이다.
급한 일은 전보, 일상은 손편지로 주고받았던 시절과
팩스와 문자를 주고받는 시절을 거치며,
원치 않아도 남의 속사정을 볼 수 있는 세상이 된 거다.

나 역시 페이스북과 유튜브 채널 등을 접하며,
모르는 사람과 얼굴을 익히고 얘기 나누는 일이 많아졌다.
덕분에 좋아하는 분야의 전문 지식도 서로 알려주고,

나눌 수 있는 것을 나누며 지낸다.
코로나로 인해 오히려 친밀하게 지내는 인연이 생기고,
몇몇은 온라인에서 오프라인으로
끈끈하게 이어지는 사이로 발전하기도 했다.
더불어 오랫동안 소식이 끊겼던 지인을 찾거나
만나는 기쁨도 있었다.
멀리 캐나다 토론토에 살고 있는
며느리와 두 손주와 얼굴 보며 통화할 수도 있어
더없이 좋았다.

지금은 매일 올리지 않지만 팬데믹이 시작된 후로
2년 동안 쉬지 않고 사진과 글을 올렸다.
내 일상을 가감 없이 내보이며
많은 분들과 격 없이 소통하고 지냈다.
각자의 생활을 즐겁게 또는 진지하게,
같이 느끼고 나누는 그 정이 좋았다.

그러다 무릎에 이상이 왔다.
무릎이 아파 걷지 못하게 되면서
매일 하던 산책도 못하게 됐고, 요리를 만들고 사진 찍으며
재미지게 하던 온라인 소통을 중단해야 했다.
집에만 있으니 쓸거리가 줄었기 때문이다.

좋은 얘기도 반복하면 지겨운데 아픈 얘기를 일기로 쓰려니,
쓰는 나도 지겨운데 보는 분들은 오죽할까 싶었다.

무릎 통증과 긴 시간 씨름하면서
온라인에 쓰는 대신 노트에 일기를 쓰고 있다.
온라인 글쓰기는 가끔으로 줄었지만 일기는 매일 쓰고 있다.

그러다보니 예전처럼 남의 삶을,
얘기를 접할 기회는 줄어들었다.
나이가 들었으니 점점 줄어드는 것이 맞겠다.
돈 버는 일도 돈 쓰는 일도, 집 안팎의 일도 줄이고 줄이자.
줄여서 단출하게 만들어야 한다. 그래야 노후가 편하다.

그리고 밖을 보던 시선을 돌려 나를 바라봐야 한다.
나이들수록 하루하루 나를 챙기고, 돌아보고,
살게 하는 것이 중요하다.
매일 그날 하루에 만난 사람,
길에서 본 동물의 색과 모양을 기록하는 것은
정신 건강에도 좋고 치매 예방에도 좋단다.

그러니 페이스북이 되었든 노트가 되었든,
일기는 계속 쓸 거다.

어떤 면에서 페이스북이 나에게

일기 쓰기라는 좋은 습관을 가르쳐준 셈이다.

나는 엄마덩이입니다

"항상 냉장고에 엄마가 만들어둔 음식이 있어서
엄마가 집에 없어도 나 여기 있다, 하는 것 같았어요."

큰아들의 인터뷰였다. 나도 잊고 지낸 이야기였다.
애들이 어릴 때 공연과 라디오, 드라마에 출연하면서
부엌일까지 하려니 너무 힘들었다.
아이들한테 음식 말고 다른 건 아무것도 해줄 수가 없었다.
도우미나 가정교사를 붙여줄 여건도 안 됐다.
그러다 문득 내 어린 날의 엄마를 생각할 때
제일 기억에 남고 오래도록 떠오르는 게
엄마의 음식과 간식이었다.

음식이 이렇게나 중요하다는 생각이 들어서
나도 '밥 잘해주는 엄마'로 남아야겠다 생각했다.

그래서 새벽마다 도시락을 싸서 학교에 들려 보냈다.
한 번도 돈을 주면서 바깥 음식을 사 먹으라고 한 적이 없다.
애들이 더 어릴 때는 집에서 먹을 도시락을 곳곳에 숨겨놓고
식사 때 되면 전화해서 어디를 열어봐라 하고 알려줬다.

"어! 찾았어, 엄마!"

무슨 보물찾기에서 보물이라도 찾은 양 좋아했다.
그리고 공휴일이나 휴일에도 어딜 못 가니까
아이들한테 세뇌 교육을 시켰다.
집에서 맛있는 거 해 먹으면서
재밌는 만화영화 보는 게 최고 좋은 거라고.
큰아들과 달리 작은아들은 항상 밖에 나가고 싶어했다.
"엄마, 심심해, 심심해" 하는 게 쉬는 날의 주제가였다.
그럼 큰아들이 나서서 제 동생을 타일렀다.
"집에서 맛난 거 먹고 노는 게 제일 좋은 거야"라고.
세뇌당한 거다!

그러다 막덩이가 초등학교 1학년 때,

셋이서 처음으로 홍천 여행을 떠난 적이 있다.
기껏 시간을 쪼개서 간 그곳에서 비 폭탄을 맞았다.
평생 잊지 못할 만큼 많은 비가 쏟아졌다.
밤새도록 양동이로 들이붓듯 쏟아져
산이 두 군데나 무너지기까지 했다.

문제는 내가 그 당시 MBC 라디오 〈가요응접실〉을 할 때라
어떻게 해서든 방송국에 가야 했다는 거다.
택시를 불렀으나, 올 수도 갈 수도 없단다.
눈앞이 노랗게 되었다.
결국 아이들과 짐을 들쳐업고
버스가 오는 곳까지 무작정 걸어갔다.
중간에 트럭을 얻어 타고, 정류장에서 버스를 타고
생방송 직전에 기적처럼 간당간당 방송국에 도착했다.
그때 얘기는 지금도 생각하면 아찔하다.

아무튼 나는 죽어라
바깥일과 집안일을 같이 하느라 너무 힘들었는데,
우리 아들이 나더러 너무 행복해 보였단다.
웃음이 픽 났다.

"엄마는 너무 괴로웠는데."

"왜? 엄마가 하고 싶은 일 하면서 너무 행복하지 않았어?"
"하고 싶은 일을 한 건 행복한 일이었지.
삶의 무게가 어깨를 짓누르지만 않았다면…."

그래, 맞다.
내가 좋아하는 일 하면서 돈을 버는 건 대단한 축복이지.
그런데 그리 바쁘게 살아서 지금 나한테 남은 게 뭐가 있나.
어렵더라도, 쌀이 떨어지면 구걸을 해서라도
애들하고 지지고 볶았어야 하는 게 아닐까.
함께 시간을 많이 보내지 못한 게 제일 아쉽다.
지금도 자다가 불현듯 생각난다.
어떻게 해서든 여행도 데리고 다니고
이것저것 구경도 시켜주는 게 옳지 않았을까?

"아니야, 엄마.
우리끼리 잘 살았어. 밖에서 친구들이랑 잘 놀았고."

위로 차원이겠지.
그래도 고맙고 고맙다, 덩이들아!
너희가 있어서 열심히 기를 쓰고 살 수 있었다.
나는 웃기는 엄마이기도 하고, 강한 엄마이기도 했다.
아버지 없이 아들 둘을 키워야 했으니까 매도 많이 들었다.

그럼에도 엄마만이 할 수 있는 역할을 못했다는 게
아직도 마음이 아프고 자다가도 가슴이 저리다.

젊은 시절을 생각하니, 짠해

넷플릭스 다큐멘터리 〈길 위의 셰프들〉 라틴아메리카 편은
감동 그 자체였다.
음식과 그들 인생에 얽힌 얘기가 마음을 울렸다.
너무 가난하고 힘들어서,
또는 혼자 남아 자식을 굶기지 않으려고
뭐라도 할 수밖에 없는 긴박함에
'길 위의 셰프'가 된 사람들의 이야기다.
그들의 음식은 고단한 삶과 절박함이 버무려져
진한 감동의 맛을 준다. 사는 얘기는 어디나 다 비슷하다.
최선을 다하는 자세 위에 절박함이 더해지면
죽을힘이 동원된다.

처음 드라마를 시작했을 때의 내 모습과
저들의 모습이 포개졌다.
나라도 나서야 애들을 먹이고 공부시키겠구나 싶어서
전공을 살려 다시 연극을 시작했고
그것이 드라마로, 라디오로, 영화로 이어지며
스튜디오와 무대를 종횡무진 뛰어다니던 시간들이
영상을 보는 내내 머릿속에서 주마등처럼 마구 지나갔다.

드라마와 연극, 8년 동안 라디오 생방송을 하면서
아이들 밥해 먹이고 살기가 정말 정신없이 바빴다.

방송 전이나 후에 장을 후다닥 보고
방송 끝나면 미친 듯이 집으로 와서
반찬을 만들어 애들 먹이고, 새벽밥 해서 아침을 먹이고,
도시락을 싸서 큰덩이를 학교에 데려다주었다.
(우리는 화곡동에서 살다가 일산으로 넘어갔는데,
아들이 전학을 원치 않아서 그 거리를 2년 넘게 통학시켰다.)
그리고 아침 생방송을 진행하러
방송국으로 향하는 길에 막덩이를 깨웠다.
하지만 부모가 깨운다고 단번에 일어나는 아이가 어디 있나.
학교 가는 모습을 제대로 보고 나오지를 못하니
꼭 학교에 출석 여부를 확인해야 했다.

어떤 날은 애가 계속 자고 있는 게 뻔히 보이는데
나는 깨우러 달려갈 수 없어 애가 타기도 했다.
KBS 드라마 〈좋은 걸 어떡해〉를 찍던 중이었다.
아이의 중간고사 기간이었는데 밤새 촬영을 하게 되었다.
중요한 시험 기간이니 무조건 깨워서 학교에 보내야 하는데
당최 아이가 일어나질 못하는 거다.
결국 이날만큼은 잠시 촬영을 접고
집으로 돌아와 아이를 깨워 학교에 보냈다.
그러고는 머리가 바닥에 닿도록 사죄를 했다.
그렇게 죽을죄 지은 사람이 됐던 때도 있었다.
그 드라마로 KBS 연말 여우조연상을 받았던 기억도,
그래서 씁쓸하다.

TV를 보다가, 장을 보다가 느닷없이 툭
그렇게 정신없이 살던 시절이 튀어나온다.
덩이들이 없었다면 그토록 열심히 살지 않았을 테고
그럼 오늘의 나도 없었을 터.
내 어깨를 짓누르는 무게가 나를 살게 한 원동력이 됐다.
다 좋을 수만도, 다 나쁠 수만도 없는 게
인생인가 보다.

그럼에도 같이
밥을 먹는다는 건

종종 우리 가족을 두고 모자간 사이가 좋다며,

어떻게 그렇게 지낼 수 있느냐 묻는 사람들이 있다.

비결은 단순하다.

우리는 서로의 사정을 빤히 알고 있기 때문이다.

부모와 자식 모두가 같은 분야 사람들이니

무엇이 좋은지 힘든지, 어떤 것이 걱정이고 고민인지

한번 얘기를 시작하면 대화가 끝도 없이 이어진다.

얼굴을 계속 마주하고 서로 말을 많이 하니

관계가 멀어지는 것이 더 힘들다.

(이러다가도 각자 바쁘면

얼굴도 못 본 채 몇 개월이 훌쩍 가기도 한다.)

물론 처음부터 쉽지는 않았다.
애들이 사춘기에 접어들면서 좌충우돌도
그런 좌충우돌이 없었다.
딸만 셋인 집에서 자란 내게는 아들 키우기가 어찌나 힘들던지,
도저히 아이 심리를 모르겠는데 물어볼 데도 마땅치 않았다.
중학생이 된 아들들은 엄마를 상대도 안 한다는데
나는 엄마이자 가장이었으니, 상대를 안 할 수가 없었다.
지금처럼 육아 정보가 풍부한 시대도 아니었기에
나는 걔들을 모르고 걔들은 나를 몰라
온갖 충돌이 다 일어났다.

다만 그 시기를 거칠게 겪으면서도
우리는 계속해서 밥을 같이 먹었다.
호되게 혼을 내고 나서도
밥 때가 되면 묵묵히 식사 준비를 했다.
언제든 어떤 상황이든 나는 결국 부엌으로 돌아가
아이들과 먹을 밥을 만들었다.
그때 내가 무슨 생각을 하며 밥을 했던가?
덩이들은 내가 만든 도시락을 보며,
먹으며 무슨 생각을 했을까?

어느 날, 막덩이가 지나가듯이

자기 아내에게 이런 말을 했단다.
가정을 꾸려 아이 낳고 살다보니 엄마를 존경하게 되었다고.
우리 엄마 그렇게 일을 하면서도
우리들 밥 한끼 빼먹은 적이 없었는데
아이고, 우리 엄마가 너무너무 힘들었겠구나! 싶다고.
며느리가 전해준 그 말을 들으며,
'기를 쓰고 밥해 먹인 효과가 있네' 하고 혼자 웃었다.

2021년 봄에 두 아들은 머리를 맞대고 끙끙대다
〈역전의 용기〉라는 작품을 구상해
대학로 소극장 무대에 올렸다.
그후 2022년 연말에도 재공연을 했는데,
포장마차를 배경으로 하는 이 연극에서는
실제로 배우가 무대 위 포장마차에서 요리를 하기 때문에
공연장 안이 푸근한 어묵 국물 냄새로 가득 찬다.
그리고 극 중간중간 계속 라디오 소리가 흘러나오는데…
그 방송의 이름이 바로 '양희경의 〈가요응접실〉'!
8년 동안 진행했던 라디오 프로그램이다.
내 목소리가 공연 내내 무대 위 라디오에서 흘러나왔다.
(물론 내가 공짜로! 녹음해준 음성이다.)
두 덩이가 엄마에게 바치는 연극이었다.
보는 내내 가슴이 뭉클 저려왔다.

방문 잠그고 춤을!

우리집 식구들 핏줄에 빠짐없이 새겨져 내려오는 것이 있다.
외할머니에게서 엄마로 내려오고, 엄마로부터 내게로 와
우리 아들에게 내려온 것, 바로 '흥'이다.

둘째가 가장 많이 물려받았고, 첫째는 속으로 많다.
흥도 놔두면 병이 되는 사람들이 있다.
그래서 종종 판을 벌여줘야 한다.
속에 쌓인 흥인지 울분일지 모를 그 덩어리들을 터트려서
밖으로 흩뿌려줄 판.
아이들과 한창 살을 부대끼고 붙어 있어야 할 시기에
나는 바깥일을 하느라 아이들과 함께 있는 시간이 적었다.

당시에도 그 사실을 알고 있었기에
아이들과 자주 '나처럼 해봐요' 놀이를 했다.
별거 아니다.
그저 문을 잠그고 노래를 한껏 크게 틀어놓은 채
마구잡이로 춤을 추는 거다.
시작은 언제나 불현듯, 갑자기, 즉흥적으로.
저녁에 심심하게 TV를 보고 있을 때 불쑥 말을 꺼낸다.

"우리 '나처럼 해봐요' 하자!"

노래는 동요에서부터 가요까지 잡히는 대로 틀었다.
그러고는 셋이서 땀을 비 오듯 흘리면서
무아지경으로 춤을 췄다.
아이들과 노는 건데 체면 같은 걸 챙길 필요가 없지.
서로가 어찌 보이는지 신경쓰지 않고
마음껏 애들과 몸을 이리저리 부딪히며 흔들었다.

아이들은 몸을 많이 움직일수록 스트레스가 날아간다.
휴일마다 애 있는 집에서 산으로 들로 나들이를 가는 건
다 그런 이유에서다.
나는 그럴 수가 없으니 바깥으로 풀지 못했을 그 흥을
나만의 방식으로 함께 발산했던 거다.

'아들 둘을 내가 키우겠노라!' 선언한 뒤로
일하랴 먹이랴 키우랴, 수많은 랴, 랴, 랴….
무엇 하나 제대로 할 수 없었다.
내가 이리 바쁘게 살았으니 돌보고 키울 새도 없이
애들은 방목 상태로 쭉쭉 컸다.
부지런히 냅다 달리다보니 오늘날이다.

지금은 연극판에서 각자 자기만의 흥을 풀고 있는
덩이들을 보고 있자니 그 시절 우리들의 춤판이 생각난다.
그래도 내가 물려준 건 저거 하나구나,
돈 되는 일이 아닌데 좋아서 하니 다행이다.
남에게 부끄럽지 않게 잘 커줘서 고맙다.

그러고 보니 덩이들의 흥을 북돋아준 사람들이 또 있다.
처음 드라마를 시작할 때, 시간을 내 육아를 도왔던 후배들.
지금은 유명한 배우, 작가가 된 동생들이다.
"우리들에겐 많은 보모가 있었지"라는 덩이들 말에
얼굴을 하나하나 떠올린다. 미경, 선미, 영민, 영경, 성주!
각자 성향대로 돌봐준 그들의 영향이 덩이들에게 컸을 터.
눈물나게 고마운 후배들이다.

여유로운 주말 오전에:
브런치 요리

☑ **초간단 팬케이크**

- ☐ 밀가루와 베이킹파우더를 체에 두 번 친다.
- ☐ 고운 가루에 달걀과 우유를 넣어 잘 풀어준다.
- ☐ 약한 불에 반죽이 폭신히 부풀어오르게 굽는다.
- ☐ 팬케이크 위에 시럽을 뿌리고 버터를 올린다.
- ☐ 서니사이드업으로 달걀프라이까지 푸짐하게!

일주일 내내 일했던 엄마의 빈자리를 메꿔주려고

일요일 아침마다 만들어준 특별식이다.

시판 믹스가루가 없던 시절이니 다 내 방식으로 만들었다.

☑ 감자 그라탱

☐ 감자를 깍둑 썰기 해서 소금물에 포옥 익힌다.

☐ 콜리플라워를 잘게 잘라, 끓는 소금물에 기절시킨다.

☐ 베샤멜 소스를 만든다.

—— 버터와 밀가루, 우유를 1:1:10 비율로 준비한다.

버터와 밀가루 각 30그램, 우유 300밀리리터면 된다.

—— 팬에다 버터를 녹이고 밀가루가 노릇해질 때까지 볶아준다.

—— 우유를 조금씩 부어가며 걸쭉한 농도로 맞춘다.

—— 소금과 후추로 간한다.

☐ 감자와 콜리플라워에 소스를 붓고 잘 섞는다.

소스 양은 감자와 콜리플라워의 양에 따라 조절한다.

☐ 위에 모차렐라 치즈를 듬뿍 올린다(그 시절엔 없었지만).

☐ 오븐에 구워도 되고 불에 올려 끓여도 된다.

감자+브로콜리, 감자+마카로니, 감자+양송이버섯

어떤 조합이든 같은 방법으로 가능하다!

☑ 프렌치 토스트

☐ 통식빵을 사다가 좀 두툼하게 자른다.

☐ 달걀, 우유, 소금, 시럽이나 원당을 잘 섞는다.

- □ 식빵 속까지 촉촉해지도록 고루 적신다.
- □ 버터와 올리브오일을 두른 팬에 올려서
  앞뒤로 노릇하게 잘 구워낸다.
- □ 달걀프라이는 반숙으로 익혀 함께 먹는다.
- □ 제철 과일이나 채소도 곁들인다.

세상 행복하게 먹던 애들 표정이 선하다.
잠이 덜 깬 상태로 소금을 설탕인 줄 알고
반죽에 넣었던 적도 있다. 그날의 슬픔이란!
작은아들이 밴쿠버 살 적에 다시 일요일마다 몇 번 했더니
덩이들 어린 날의 추억이 시럽과 함께 버무려졌다.
추억을 먹는 시간은 직접 해 먹는 음식이 주는
특별 보너스다.

꿈과
꿈

형편도 어려운데 재수를 하게 된 내게
언니는 연극 학교에 지원서를 넣어보라고 제안했다.
그래서 아는 사람에게 팬터마임 레슨을 받고,
그 당시 서울예전, 지금의 서울예대에 입학했다.
그때가 내 생애 최고로 행복하고 신나는 시간이었다.
적성에 맞고 잘할 수 있는 일을 만난다는 건 큰 축복이다.

그래서 내가 우리 아들들한테
'공부는 못해도 좋은데 네가 좋아하는 일,
평생 지치지 않고 좋아할 일을 찾아서 해'라고 얘기해왔다.
그래야 시너지 효과가 난다는 걸 알기 때문이다.

대학을 수석으로 졸업하고 계속 연극을 하며 살 줄 알았는데
애들 아빠가 결혼을 하자고 했다.
교회에서 만난 친구의 사촌 오빠로,
우리는 고등학교를 졸업하면서 연애를 해오던 사이였다.
그런 그가 자기랑 연극, 둘 중에 하나를 고르란다.

정말이지, 나의 꿈은 '현모'와 '양처'였다.
좋아하는 남자와 결혼해 아이 낳고 행복하게 사는 것.
우리 엄마 아버지가 일찍이 이혼하시는 걸 보며
편안한 가정에서 아이 키우고 부부가 단란하게 사는 것이
결코 쉬운 일이 아니라는 것을 알고 있기에
꿈으로 키워왔지 싶다.
아마 둘 다 될 수 없을 운명이라서 그랬는지도 모르지.

마냥 좋은 엄마와 아내가 되고
단란한 가정 '홈 스위트 홈!'을 꾸리고 싶었다.
그래서 연극을 포기하고 결혼을 했다.
헤어졌어야 하는데, 내 꿈이 다른 꿈을 이겼다.
모든 꿈이 꿈으로 끝났다.

다시 꾸게 된 무대의 꿈

결혼하고 큰애를 낳아 기르는데
학교 동문이 공연을 한다고 나를 불러냈다.
그게 1981년 오태석 선생님의 〈자 1122년〉이다.
그해 동아연극상 연출상을 받은 작품이자
내 연기 인생의 포문을 연 공연이었다.
이어서 다음 작품으로 〈꿈 먹고 물 마시고〉를 하기로 했는데
둘째가 들어섰다.
덕분에 꿈은 다른 사람이 먹고,
나는 다시 육아와 살림에 매달렸다.

4년 뒤 1985년에 다시 무대에 서게 되었다.

황석영 소설가의 〈한씨연대기〉였다.
그런데 이 공연이 대박을 친 거다!
자리가 없어 관객이 무대 위로 올라앉는 일까지 생기자
이 공연을 위해 더 큰 공연장이 필요해지면서
구 문예회관 소극장을 거쳐 창무극장,
그리고 신촌 연우무대의 문까지 열게 되었다.
내 연기 인생이 본격적으로 시작된 작품이다.
문성근, 박용수, 오인두, 김경희, 김미경과 함께
순회공연도 다녔다.
나에게 1985년과 1986년은 인생의 새로운 맛,
기쁨과 환희 속에서 열심히도 뭉쳐 다녔던 시간이었다.

드라마는 1986년 MBC 〈호랑이 선생님〉으로 시작해
뒤이어 〈꾸러기〉로 이어졌고,
그것이 또 라디오 〈가요응접실〉로 이어졌다.
그런데 TV에서 내가 맡는 역할은
항상 싱글이나 돌싱, 집안에서 말썽을 일으키는
태풍의 눈 같은 존재였다.
10년 동안 그 역할이 그 역할인 연기를 하니
드라마 속 인물에 싫증이 났다.
내가 과연 평생 같은 역을 하면서 살 수 있을까?
회의도 생기던 차에 만난 이야기가,

송기원 소설가의 「늙은 창녀의 노래」였다.
잠도 안 오고 책이나 보자 싶어 무심히 읽다가
자리에서 벌떡 일어났다.
머리를 한 대 맞은 느낌. 정신이 번쩍 났다.
이 작품을 해야겠다!
제작자와 연출자가 다 미심쩍어했지만 힘껏 밀어붙였다.
우여곡절 끝에 막이 올랐다.

그때는 인터넷도 휴대폰도 없던 시절이라
당시 공연의 좌석 예매는 대부분 전화로 이루어졌다.
그런데 어찌나 전화가 많이 오는지,
전화에 불이 날 지경이었다!
예약 문의처가 계속 '통화중'이자
사람들이 이른 시간부터 현장에서 표를 구하려고
극장을 빵 둘러 있는 일이 계속되었다.
공연, 앙코르, 또 앙코르
그리고 방방곡곡 지방 순회공연까지…
모든 연극 기획자들이 다 떼돈을 벌었다.
그렇게 일 년 넘게 늙은 창녀와 살았다.
그때 내 나이 마흔둘, 늙은 창녀 나이 마흔하나였다.
그러고 나서야 앞으로 평생 똑같은 역할을 하더라도
기쁘게 할 수 있겠다 싶었다.

다시 숨쉴 힘이 가득 채워진 거다!
지난 10년간 나는 똑같은 역할들에 깔딱깔딱
익사하기 직전이었다. 그 역할들에 빠져 죽을 것만 같았다.
하지만 연극 〈늙은 창녀의 노래〉를 만난 이후로
〈넌센스〉 〈사운드 오브 뮤직〉 같은 뮤지컬부터
〈자기 앞의 생〉 〈안녕, 말판씨〉 〈여자만세〉라는 연극까지,
일 년에 한두 편씩 꾸준히 무대 공연을 하며
주기적으로 모자란 숨을 들이마신 덕분에
이제는 TV에서 철딱서니 없는 아주머니 역할을 하면서도
편히 숨을 쉬고 살 수 있게 되었다.

연극 무대에 오를 때면 꼭 내가 살아 있는 느낌이 났다.
흔한 표현이긴 하지만 연극은 내 마음의 친정! 딱 그렇다.
새벽에 불려 나가서 밤을 새워가며
시간에 쫓기듯 드라마를 찍다가도,
연극 무대에 한번 오르고 나면
6개월은 그 기운으로 버틸 수 있었다.
쏟아냄으로써 나를 재충전하고 힐링하는 시간.
연극 무대는, 그래서 지금도 기쁘게 오를 수 있다.
1995년 〈늙은 창녀의 노래〉가 호연되고 그로부터 10년 뒤,
송승환 씨가 여성연극 시리즈를 기획해서
쉰두 살에 다시 늙은 창녀를 만났다.

반갑고 힘들고 좋았다. 관객들이 많이 오셨다.
누가 예순둘에 다시 하자 했으나
내가 너무 늙어 자신 없다 말했다.
지금도 종종 이 연극을 다시 하자는 사람들이 있다.
그럴 때마다 추억의 사진 한 장을 꺼내 들여다보곤 한다.
참 좋은 연극이었고 내겐 고마운 늙은 창녀였다.

전에 누가 극장으로 오는 길에 택시를 탔는데,
이 연극을 보러 간다고 했더니 기사님께서
"양희경 씨 본인 이야기라면서요?" 했다 길래
웃다가 쓰러질 뻔했다.
제가 그 친구와 인연이 깊기는 한데,
제 얘기는 아니에요!

내가 사랑하는 연극

연극은 여러 면에서 '오래달리기'다.
한번 무대에 올라 극이 시작되는 순간
죽이 되든 밥이 되든 배우는 끝까지 가야 한다.
드라마는 한 장면 한 장면 움직이고,
영화는 한 컷 한 컷 움직이기에
똑같은 대사와 역할을 맡을지라도
배우는 각각 호흡을 다르게 가져간다.

나는 깊은 호흡을 품고
바닷속으로 쑤욱 들어가는 제주의 해녀들처럼,
무대 위에서 서서히 관객들과 연결되어

그들을 극으로 쑤욱 끌어들이는 연극을 가장 좋아한다.

영화는 긴 시간을 집요하게 연기해야 하고,
드라마는 짧은 시간 내에 치열하게 연기해야 한다.
반면에 연극은 한두 달을 반복해 연습한 뒤,
막이 오르는 순간 오랜 시간 달려나간다.
너무 숨이 차지 않게, 그렇다고 또 늘어지지 않게
스스로 호흡을 조절하며 끝내 완주하는 기쁨을 맛보는 연극!
연기는 다 즐겁고 좋지만 가장 보람찬 것이 연극이다.

그렇게 곰탕처럼 뭉근하게 완성되는 연극 무대는
한번 팀이 구성되면 연습부터 쫑파티까지
거의 대부분의 시간을 모든 팀원들과 함께 지내게 된다.
있는 정 없는 정, 고운 정 미운 정 다 들게 되고
마지막에 헤어질 땐 사랑하는 연인들끼리 이별하는 양한다.

가족보다 더 가까이 많은 시간을 보내며
서로 고민 상담도 하고 같이 행복해하면서
깊고 진한 정이 드는 거다.
반면 뮤지컬이나 드라마는 인원이 엄청 많기 때문에
맘 맞는 사람 하나둘 가깝게 지내기가 쉽지 않다.
옛날엔 드라마 분장실을 다 함께 써서

전 출연진이 가까울 수 있었는데
요즘은 분장실을 각각 쓰니 그도 어렵게 됐다.
연극은 아직도 분장실이 협소하고
그 안에서 복닥복닥 지내니 가족 같아진다.
없는 돈에 제작비를 아껴가며 밥 같이 먹고 나누는 것은
40년 전이나 지금이나 변함없이 그대로다.
연극의 이러한 환경은 전 세계 어디나 다 비슷하다는 점!
이것도 마음에 든다.

다만 한동안 연극 객석의 풍경이 달라졌다.
코로나가 처음 시작되었던 2019년 말,
한창 〈여자만세〉라는 공연을 하고 있을 때였다.
그 공연이 끝나가던 2020년 1월 말 코로나가 터졌다.
그때의 객석 풍경을 지금도 잊지 못한다.

무대에 있는 우리를 뺀 모든 사람들이 전부 다
하얀 마스크를 끼고 있었다. 너무 무서웠다.
내가 연극을 사랑해온 이유는
관객의 표정을 보며 그들과 감정이 연결되기 때문이었는데,
세상에… 그들의 표정을 알 수가 없었다.
무대에서 바라보는 객석이 너무 무섭고 당황스러웠다.
처음엔 배우들끼리 뒤에서

"세상 태어나서 처음 보는 객석 모습이다.
저 모습 사진 좀 찍어놓자" 이랬다.
그때는 이게 기념이 될 줄 알았지,
일상이 될 거라곤 꿈에도 몰랐다.

팬데믹은 연극판을 한바탕 휩쓸었다.
하지만 아무리 황폐해진 땅이라도
잡초를 뽑고 돌멩이를 캐다 나르며 쟁기질을 하면
생명이 탄생하는 땅으로 돌아온다.
내가 사랑하는 연극 무대도 곧 그렇게 돌아오리라 믿는다.

목소리를
내는 일

연극만큼 좋아하는 일은 내레이션이다.
1990년대 초반부터 30년을 넘게 했으니까
배우로서는 제법 오래하고 있는 일이다.
항상 다큐멘터리를 좋아해 열심히 보는 편이기에
라디오를 진행하던 시절에
처음 내레이션 섭외를 받았을 때 흔쾌히 수락했다.
그때부터 지금껏 하는 일 가운데 하나다.

내가 좋아하는 장르는 휴먼다큐멘터리다.
다른 사람들의 인생관이나 사고를 보면서
나와 비슷한 모습을 보면 반갑고, 다른 걸 보면 신기하다.

사람 사는 얘기는 다 비슷하고 공감도 쉽게 일으킨다.
그래서 오래도록, 8년을 했던 MBC 〈사람이 좋다〉가
2020년에 경제적인 이유로 막을 내렸을 때 너무 속상했다.
프로그램이 가진 8년 세월이 아까웠다.

요즘은 고정적으로 하는 프로그램은 없지만
여기저기서 요청이 오면 되도록 하려고 애쓴다.
좋아하는 일이란 이런 거다.
조금만 다가온다 싶으면 나도 모르게 이만치
먼저 손을 내밀게 되는 것.

사실 연극, 드라마, 라디오, 다큐멘터리 내레이션 가운데
시간 대비 에너지 소모가 크기로는 단연 내레이션이 최고다.
한 시간 남짓 원고를 읽어 내려가는 것인데
이게 보기보다 힘들고 무엇보다 엄청 배가 고픈 일이다.
시작 전에 배를 든든히 채우고,
끝나고도 먹어줘야 하는 일이다.
나만 그런 줄 알았더니 언니도 똑같단다.

목소리를 내는 일은 앞으로도 한동안 계속할 일이지 싶다.
일찍이 사십대쯤에 노후에 할 수 있겠다고 생각해놓은
일들 가운데 하나가 책 읽어주기였으니 말이다.

지금도 같은 생각이다.
아이들을 위해서건 실버들을 위해서건!
근데 이게 생각처럼 쉽지 않다.
저작권 문제, 작가의 허락 받아내기, 또 돈 문제까지!
막상 해보려니 생각으로 그칠지도 모를 일이 돼버렸다.

다만 내 목과 목소리를 위해 매일 소금물 코 가글을 한다.
0.9퍼센트 정도의 소금물을 코로 마시고 입으로 뱉는 것이다.
말만 들어도 아찔하다 싶겠지만
나는 어려서부터 편도선염으로 고생해
줄곧 해온 습관이라 아무렇지도 않게 들이마시고 뱉는다.
사실 언니나 나나 성대는 타고난 편이라
목소리가 잘 쉬지 않지만 예방 차원에서 꾸준히 하고 있다.

옛날에, 어린 덩이들에게 읽어주는 동화책에
혼을 싣고 있는 나를 보고 언니가 한 말이 있다.

"너는 아들 동화책 재밌게 읽어주려고
연극 전공한 사람 같구나!"

나도 신나게 읽어주고, 그걸 즐겁게 듣고 자란 덩이들.
그 기억이 다 연극판을 택하는 데 지대한 영향을 끼쳤겠다.

나의 뿌리,
떠오르는 장면들

아버지 양정길, 1926년생 호랑이띠, 고향 진남포.
어머니 윤순모, 1930년생 말띠, 고향 서울.

두 사람은 엄마 친구의 소개로 1949년 봄에 만나
연애다운 연애도 못해보고 그해 겨울 12월,
어머니 나이 열아홉 살 끝 무렵에 결혼식을 올리셨다.
스물셋에 큰딸 희은이를, 스물다섯에 둘째딸 희경이를 낳았고
스물아홉에 막내딸 희정이를 낳으셨다.

묻지도 따지지도 말라는 4년 터울 호랑이띠 말띠 궁합은
내가 초등학교 1학년 때

어머니가 강제 이혼을 당하시며 끝이 났다.
엄마 때문에 상사병까지 앓으셨다던 아버지 마음은
어디로 사라진 걸까?
가장 못 믿을 건 사람의 마음이라더니….
집을 떠나가던 엄마와 그날 들어온 낯선 여자의 모습은
지금도 선연하게 떠오른다.

그리고 4년 뒤 아버지는 서른아홉에 세상을 떠나셨다.
희은이 열세 살, 희경이 열한 살, 희정이 일곱 살 때 일이었다.
이후 다시 엄마가 우리를 맡아 기르실 때까지
나는 집에 있기 싫어 늘 친구들과 어울리고
이웃집으로 놀러 다녔다.
집 위에 있던 삼청공원이 내게 큰 위로가 되어주었다.
친구들과 뛰놀면서 슬픔과 아픔을 나름대로
열심히 극복하며 자랐다.

서른아홉이란 젊은 나이에 세상을 떠나신 아버지.
흥이 넘치시고 예술을 사랑하셨다.
영화관, 음악회, 전시회에 언니를 데리고 열심히 다니셨다.
나도 가끔 데리고 가셨다. 어머니도 그러셨다.
엄마는 노래(특히 가곡)를 잘 부르셨는데, 아버지는 음치였다.
그래서 아버지가 엄마를 좋아하셨던 건 아닐까?

유치원 다녀오면 그날 배운 거 해보라며
흐뭇하게 구경하시던 모습.
식빵 굽는 기계를 사고는 반죽을 잔뜩 만들어 굽고
동네 사람들에게 나누시던 모습.
미군부대를 통해 치즈, 버터, 과자를 사다 먹이시던 모습.
사과농장 아들답게 사과를 손으로 갈라
두 입에 끝내시던 모습.

아버지는 설렁탕을, 냉면과 불고기를,
김치말이 국수를 즐겨 드시고 온천과 스포츠를 좋아하셨다.
딸 셋 중 운동신경이 제일 좋았던 나에게
멀리뛰기, 높이뛰기, 달리기를 코치하시기도 했다.
우리가 원하는 건 다 사다 주시던 아버지.
친구와 술을 좋아해서 집으로 친구들 불러 먹이고
그들과 화투와 마작을 즐겨하시며
이상한 노래(확실히 음치였다)를 흥얼거리셨다.

엄마와 이혼 후에
아픈 나를 데리고 병원을 함께 다녔던 기억이 선명하다.
넓은 땅을 사서 집 네 채 짓고 데릴사위를 들여
다 함께 살기를 꿈꾸시더니, 역시나 꿈으로 끝나버렸다.

어린 나이에 고향을 혈혈단신으로 떠나온 아버지는
고향 사람만 보면 무턱대고 조건 없이 좋아하셨고
그의 사돈에 팔촌도 다 챙기셨다.
하지만 아버지도 결국 솜씨 좋은 엄마가 아니었음
그런 '먹자 마시자 놀자 모임'을 갖지 못하셨을 터다.
이런 게 바로 밥상 음식의 힘이겠다.
사람과 사람을 연결하는 힘.
나는 버글버글 웅성웅성 사람들 소리와
그들이 맛나게 음식 먹는 소리를 들으며 자랐다.
누군가를 위하여, 그 사람을 생각하며
좋아할 만한 음식을 차리고자 장을 보고
뚝딱뚝딱 지글지글 만들고는
맛나게 먹는 걸 지켜보는 기쁨을 놓치고 싶지 않다.
이런 건 언니도 똑같은 걸 보면
엄마 아버지 영향이겠거니 한다.

아버지가 생각나는 날:
만두와 김치말이 국수

☑ **돼지고기 만두**

- ☐ 배추를 잘게 썰어 소금에 절인 뒤 꾸욱 짠다.
- ☐ 숙주는 데친 후 다지고 꾸욱 짠다.
- ☐ 두부는 물기 짜서 으깬다.
- ☐ 다진 돼지고기를 위 재료들과 다 넣고 섞는다.
- ☐ 소금과 후추로 간단히 간을 맞춘다.
- ☐ 식구들 불러모아 만두를 빚는다.
- ☐ 찌거나 굽거나 국물에 넣어 먹는다.

만두피는 집에서 만들어야 맛있지만

시간과 정성을 들일 겨를이 없을 땐
우리밀 가게에서 만두피를 사서 쓴다.
개인적인 만두소 취향은 배추, 숙주, 두부, 돼지고기!
다 같이 빚어 먹는 만두는 식구들 간의 화합 음식이다.

☑ **김치말이 국물**

- ☐ 배추와 무는 쓱쓱 잘라서 소금을 솔솔 뿌려둔다.
- ☐ 고춧가루, 새우젓 약간, 파와 마늘, 생강,
  배나 사과 또는 양파를 믹서기에 마구 구겨넣는다.
- ☐ 물을 자박하게 넣고 시원하게 갈아준다.
- ☐ 간 것에다 넉넉히 물을 붓고 잘 저은 뒤 체에 거른다.
- ☐ 이 국물에 소금을 넣어 간을 맞춘다.
- ☐ 소금에 절여둔 배추와 무에 국물을 붓는다.
- ☐ 잘 숙성시킨다.

반면 국수는 어떤 종류든 상관없이 삶아서
국물 넉넉히 부어서 말아 먹으면 된다.
이 김치 국물에 맑은 고깃국을 조금 섞어서
말아 먹으면 그게 또 별미다.

주는 복이
받는 복보다 많아

요리를 하는 사람이라면 당연하겠지만,
나는 부엌 조리 기구에 관심이 굉장히 많다.
여행을 가서도 시장에 가거나 백화점에 들르게 되면
꼭 신기하고 좋은 부엌용품이 뭐 없나 구경한다.
그렇게 사서 바리바리 사다 나른 적이 여러 번이다.

어느 날 누가 찾아와서는 주서기를 판매할 건데
나더러 제품 모델을 해달라고 요청해왔다.
일단 자기들이 만들었다는 주서기를 받아봤는데
물건이 너무 좋았던 거다. 그래서 하겠다고 대답했다.
결과는 에브리타임 완판!

회사가 분야 꼭대기까지 올라갔다가 후폭풍을 맞았다.
부산에 있던 공장이 와르르 가라앉았다.
그야말로 심해 바닥으로. 꼭지점은 늘 위험하다.

몇 년 후, 이번엔 프라이팬을 만들었다며 물건을 보내왔다.
하지만 물건이 안 좋아서 이거 다시 만들라고 했다.
그랬더니 기술적인 고민을 많이 했는지
단단하고 멋진 제품을 만들어내더라.
회사가 다시 정상을 찍었다. 그리고 헤어졌다.
대표가 회사를 좋은 값에 팔고 강원도에서 자연과 살겠단다.
지금껏 연락하며 잘 지낸다.

그다음에 판매한 것은 김치다.
어휴, 김치가 너무 맛있었다. 당연히 대박을 쳤다.
근데 그 회사가 욕심을 너무 많이 부려서 망하고 말았다.
저런, 하고 홈쇼핑을 쉬고 있을 무렵
다른 식품회사에서 나랑 전속계약을 하겠다고 찾아왔다.
처음엔 고사했다.
이제 식품에 이름으로 책임지고 싶지 않았다.
사람들이 댓글로 '양희경 김치로 돈 벌더니 문 닫았냐?'
이랬다는 거다(나는 댓글을 안 보는데, 누가 얘기해줬다).
그런데 회사에서 나를 붙잡으며 이렇게 말했다.

"선생님 같은 사람이 해주셔야 하는 이유가 있어요.
젊은 사람들하고 달리 주부로서의 경험도 많고,
실제로 요리를 해 먹는 사람이시잖아요."

그런가 싶어 시작한 지가 벌써 7년째다.

나는 내가 이걸로 돈을 벌어봐야겠다 하면
돈이 벌리지 않는 사람이다.
근데 누가 뭘 같이하자고 해서 하면
그 회사는 불같이 일어나곤 했다.
내 돈 벌자는 일은 잘 안 되고
남의 돈 벌어주는 일은 잘되는 경험이 줄줄이 계속되었다.

역시 받을 복 없고 줄 복이 있는 건 음식만이 아니었던 거다.
마치 내가 주변을 촉촉하게 적셔주는 비가 된 것 같다.
그러니까 나누며 살면 된다.
손을 오므리지 말고 화알짝 펴고 말이다.
내가 가장이 되어 살면서도 큰 빚을 따로 안 낸 상태로
아이들 공부시키고 막덩이 장가보내고,
다 무탈하게 지냈으니 된 거다.
더이상 바라면 욕심이다.
들고 갈 것도 아닌데 움켜쥐고 있는 건 나랑 안 맞는다!

달걀 떡볶이와
공동 부엌

2016년 SBS 〈그래 그런 거야〉라는 드라마를 찍고 나서
6개월이 지나도 다음 제안이 오지 않았다.
그때 내 연기 인생이
여기에서 끝나버릴 수도 있겠다는 생각이 들었다.
이대로 기다리는 시간을 가만히 보낼 수는 없는 일!
좋았어, 나도 내가 좋아하는 일을 하자.
35년 일하고 엄마로 사느라 코가 삐뚤어지게 바빴던 시간을
이제는 '나는 어디? 나는 무엇?'을 생각하며
새로운 내 인생으로 만들어가기로 결정했다.

내 남은 인생, 즐겁게 지치지 않고 할 수 있는 일은 뭘까?

음식 만들기가 1등으로 뽑혔다.
내가 하는 '후다닥 요리'를
집밥 하기 두려워하는 사람들에게 알리고
더 나아가 동네에 공동 부엌을 갖게 되면 좋겠다는
이룰 수 없는 생각을 늘 했다.
사람들에게 '밥이라도 잘해 먹자' 말하지만
그조차도 어려운 삶이 많으니,
그렇다면 동네마다 공동 부엌이 있으면 참 좋겠다는
생각까지 하게 된 거다.
동네 아이들에게 집밥 해주는 공간을 만들고 싶어졌다.

수많은 아이들이 엄마 밥을 못 먹고,
레토르트나 패스트푸드로 끼니를 때우거나
아예 밥 한끼를 해결하지 못하는 현실이 너무 안쓰러웠다.
돈 없는 집 애들은 그냥 먹여주고,
형편이 되면 한 달에 얼마씩 받으면서 운영하는 곳.
뜻이 좋다고 해도 이건 로토가 당첨되기 전까지는
개인이 할 수 없는 일이지.
그래서 KBS 〈볼 빨간 당신〉을 찍고, 유튜브를 시작했다.
손쉽게 구할 수 있는 재료로
손쉽게 만들 수 있는 레시피를 알려주고 싶어서.

방송에서 화제가 됐던 달걀 떡볶이는
덩이들이 아주 어렸을 때부터 아침으로 해 먹였던 요리다.
매운 건 잘 안 먹어서 평소에는 궁중 떡볶이를 해줬는데
어느 날 스크램블드에그를 하다가
여기에 떡을 넣으면 어떨까 싶었다.
그랬더니 더 간단하고 훨씬 맛있는 떡볶이가 나왔다.

☑ **달걀 떡볶이**

- ☐ 양파를 채 썰어 기름과 버터에 볶는다.
- ☐ 양파가 익어갈 즈음 떡을 넣고 볶는다.
- ☐ 떡이 익으면 달걀물을 덮어주고
  불을 줄여서 휘저어가며 달걀을 서서히 익힌다.
- ☐ 소금으로 간을 한다.
  (재료가 더해질 때마다 조금씩 간을 해두면 편하다.)

이렇게 그 옛날 달걀 떡볶이가 만들어졌다.
뭐든 원하는 부재료를 더 넣을 수 있는 떡볶이.
이게 〈볼 빨간 당신〉에서 처음 소개한 요리이자
내 '후다닥 요리'의 정체성이다.

공동 부엌을 만들겠다는 꿈은…
(돈이 없으니까) 이뤄질 것 같지는 않다.
서울시에서 민간단체와 함께 진행하는 '마을부엌' 사업이
나의 오랜 소원을 대신 실현해주기를 바랄 뿐.
근데 둘째가 하는 말이,

"엄마, 애들한테 밥을 해 먹인다는 생각으로 일하면
돈이 벌릴 거야.
엄마는 엄마 생각 말고 남을 위해서 일하면
돈이 벌리는 사람이니까."

나 좋자고 하면 돈이 안 벌리고 남을 위해 하면 돈을 번다.
지금껏 그래 왔다. 그게 내 인생! 좋은 인생이다!

참고로 내 유튜브 채널명은 '딴집밥'이다.
내가 하는 밥이 먹기 싫을 때, 밥하기 싫을 때
남이 해준 밥이 좋아 보여서 그렇게 제목을 정했다.
나는 요리 연구가도 아니고
기를 쓰고 계속 영상을 올릴 수도 없는 사람이라서
지금은 멈춘 지 좀 됐지만 이것도 되는 대로,
또 할 수 있는 상황이 되면 시작하겠거니 한다.

일하는 여자의
살림

치워도 치워도 치울 게 끝없이 보이는 게
집안일의 문제다.
점심에 시작한 무시무시한 냉장고 청소가
결국 늦저녁까지 이어졌다. 겨우 딱 냉장고만 했는데도!
김치냉장고도 정리해야 할 것들이 산더미다.

각종 장류, 청류, 젓갈, 잼을 칸칸이 나누어 정리했다.
장아찌를 정말 부지런히도 담갔더라.
꽁꽁 잘도 보관해서 맛이 변하지 않았길래
그중 많은 것을 나눔하고 버리기도 했다.
손가락 마디마디가 다 쑤셨지만 기분은 좋았다.

정리만큼 좋은 일도 없지 싶다.

늙으면 잘 버려야 한다는데… 그 말을 부지런히 실천중이다.

한참 정리 전쟁을 치르고 며칠 뒤,

간만에 외출해 밖에 있는데 집에서 전화가 왔다.

큰덩이였다.

마루에서 무언가 폭발하는 소리를 들었는데

살필 시간이 없어 그냥 나왔다는 내용이었다.

뭐지? 뭘까? 집에 가보았더니… 흐억!

범인은 사과청을 담아놓은 병이었다.

날이 더워지면서 내용물이 끓어오르다가

도저히 버티지 못해 터지고 만 거다.

유리병이 깨지면서 사방팔방 파편과 청이

끈끈이주걱처럼 붙어버렸다.

금실 좋은 짝 같구나, 선물 받은 사과청!

그런데 내가 뭘 잘못했니?

수십 년 청을 담가 먹었어도 이런 일은 처음이었다.

파편은 천장 위부터 들어갈 리 없어 보이는 구석까지

보란 듯이 흩어졌다.

한참을 치웠지만 초겨울이 되어서도 파편은 계속 나타났다.

이날의 뼈저린 교훈!

'청을 보관할 때는 유리로 된 밀폐 용기를 사용하지 말 것!'

이 사고로 창고에 있는 청들이 걱정되어서
그 안에 처박혀 밤 11시까지 정리 또 정리했다.
끝도 없을 것 같던 이 노동은 무려 4일 만에 끝이 났다.
이러고 나면 몸이 여기저기서 '나 여기 있다' 아우성이다.
내가 이리 늙었구나. 밤에 잠 못 들 정도로 괴로운 소란이다.
그래, 몸을 살살 써야지. 매일 조금씩만 정리하기.
심신의 근육을 키우고 버텨낼 일들이
나이 칠십에도 아직 도처에 산재해 있다.

사실 정리가 한세월 걸리는 건
살림과 일을 병행하는 사람들의 공통된 모습이 아닐까?
사다 놓은 것을 못 찾고 같은 재료를 또 사게 된다든지,
뭐가 불안한지 비축하고 또 비축한다든지,
뭐든 그때그때 살 수 없으니 넉넉히 산다든지,
떨어질 것 같으니 미리 사다 놓는다든지
그리고 정작 쓸 때에는 딴 데 두고 못 찾아서 또 산다든지….
짐이 늘어나는 경우의 수는 끝이 없다.
(이러한 상황을 방지하고자 모든 것에 포스트잇이나 메모를
예쁘게 붙여두고 체크하는 친구도 있다.
내겐 그럴 시간이 없어서 늘 부러웠다.)

없으면 없는 대로 산다고 잘못되지 않는다.
딱 필요한 만큼 필요할 때 사서 쓰고
남기지 말아야 나중에 편하다.
어머니, 엄마, 엄니, 어무이! 세상 모든 일하는 어머니들.
어떤 상황, 어떤 삶이어도 존경받아 마땅하다.
집집마다 어머니들의 힘은 컸다.
어떻게든 밥을 해 먹이고 학비를 끌어다 대는
기적 같은 그분들의 힘으로 우리가 무탈히 자랐다.

그러나 알다시피 일하면서 살림을 병행하기란
얼마나 어려운 일인가.
그러니 혼자 하지 말고 꼭 식구들에게 분담시키고
나눠서 살림하는 습관을 들이는 것도 참 좋은 방법이겠다.
나를 보시라, 뭐든 혼자 해버릇한 삶의 대가가 이리도 세다.
몸은 내가 부린 대로 늙어 다 갚는다더니
그 말이 딱 정답이다.
과하게 쓰고 살면 과하게 아프다.

남편은 사실
필요가 없네요

남편 없이 혼자 살면 외롭지 않느냐고 묻는 사람들이 있다.
놀랍게도 전혀 그렇지 않다.
예전에는 일이 너무 많아서
외로움을 느낄 겨를이 없었던 걸 수도 있다.
365일 매일 일을 했으니까.
연극, 드라마, 라디오 생방, 내레이션, 홈쇼핑, 영화 등등….
시간이 없을 수밖에 없었지.

하지만 일이 없는 지금도 그다지 외롭지 않다.
애들이 오늘 집에 못 들어올 것 같다고 연락이 와도,
"그래, 걱정 마" 한다. 고요한 게 너무 좋거든.

아무래도 남편이 있을 팔자는 아닌 것 같다.
나한테는 일과 자식, 그 두 개가 꽉 차 있다.

다만 내가 부러워하는 '시골에서의 삶'을
여자 혼자서 살기는 어려운 법이니,
남편이 있으면 그런 삶이 가능할까 상상해보기는 한다.
시골살이에는 집과 논밭을 함께 일궈나갈 사람이
종종 필요할 때가 있으니까.
EBS 〈건축탐구 집〉을 봐도
제2의 인생을 위해 부부가 협심해서 집을 짓고 산다.
그걸 보면서 '아, 파트너가 있으면 저런 게 좋겠다' 싶지
다시 남편이 있었으면 하는 바람은 없다.
전부터 우스갯소리로
남편이 아닌 집사가 필요하다는 얘기는 했다.

친구 같은 부부 사이가 제일 좋다지만
이런 건 영화 속에서나 가능하지 않나?
그렇게 살기는 어려운 대한민국이다.
다시 또 누군가를 만나서 호흡을 맞추자니
이인삼각 달리기는커녕 혼자 걷기도 힘든 나이인걸.
그냥 살던 대로 혼자, 내 심장박동수에 맞추어
심심하더라도 뚜벅뚜벅 가는 게 좋다.

내 나이의 여자에게 필요한 건

내 한몸 건사해낼 다리 근력뿐이다.

옷 정리는 언제나 작심삼일

의식주 중에서 가장 나와 관계없는 걸 고르자면
단연 '의'이다.
배우로서 그러면 안 되는 건데 옷에 별다른 관심이 없다.
그마저도 무조건 편한 옷을 선호한다.
통 넓은 바지, 신축성 있는 티셔츠, 부드러운 스웨터.
심플한 디자인과 살에 닿는 촉감이 제일 중요해서
순면이나 린넨, 천연섬유의 옷을 입는다.

옛날에는 코디라는 직업이 없었기에
의상실에서 옷을 찾지 못하면 내 옷을 입고 출연해야 했다.
그래서 어디에 가든 큰 옷만 보면 무조건 사서 쟁여놓았다.

내 체형이 과하니까.
뭐, 코디가 새로운 직업으로 등장하게 된 후에도
내 사이즈에 맞는 옷은 찾기 힘들었다.

그렇게 마구잡이로 산 여러 벌을 돌려 입으며 촬영했는데,
요즘에는 드라마를 틀어주는 채널들이 생겨서
옛 드라마와 요즘 드라마가 함께 방영될 때가 많다.
그럼 여기서 입던 옷을 저기서 또 입게 되는 셈.
시청자들은 그것을 또 귀신같이 알아본다.

그것을 피하고자 대체로 배우들은 옷을 많이 갖고 있다.
그래서 안방을 옷방으로 쓰는 배우들이 많다.
직업이 주는 스트레스다.
나도 옷방 가득 의상들이 즐비하다.
평상복이 아닌 옷들이 정리하고 또 정리해도 쌓여만 간다.
낡고 편한 옷을 좋아하니 평소 입게 되지 않는 의상들은
열심히 필요한 곳에 나눔하고 있다.

아주 옛날에 육촌 오빠가 미국에서 고등학교를 졸업하면서
언니에게 학교 로고가 찍힌 빨간색 티셔츠를 사줬다.
언니는 그 옷이 아주 마음에 들었는지
매일같이 집에서 그것만 입었다. 촉감이 좋다나 뭐라나.

그렇게 하도 입으니 닳고 닳아서 구멍이 뻥뻥 났는데도
버릴 생각을 안 하는 거다.
빨아놓으면 다시 입고,
또 빨아서 옷장에 넣어놓으면 또다시 찾아서 입고.
어찌나 짜증이 나던지 내가 단숨에 찢어버렸다.
속이 다 시원했다, 휴.
물론 어렸을 때의 이야기다.

닳고 닳아도 애정이 넘쳐 못 버리는 것이 누구에게나 있다.
옷이든 책이든, 손에서 맘에서 안 놓아지는 것들.
하지만 그런 것들조차 정리할 때가 됐다.
놓고 가는 거 없이 떠날 준비를 미리미리 해야 하는데.
인간사 계획대로 되는 게 얼마나 되겠는가.
두 달 정리하고 지쳐서 또 내버려두고 있다.
언젠가는 다 없애고 미니멀 라이프로 살아질까?
사실 살다보면 옷값이 제일 싸다는 생각이 든다.
요즘은 더욱더.
부여잡고 옷에 눌려 죽기 전에 없앨 것 없애고 살아야지.
굳게 결심하나 항상 작심삼일로 흐지부지한다.

기승전 '밥'일 수밖에

내가 가장 신경쓰고 사는 건 먹는 거다.
너무 기승전 '밥'인가 싶지만
밥 잘 먹고 이타적인 사람을 좋아한다.
건강한 재료로 만든 음식을 먹는 사람들은
대부분 심신이 건강하다.
누구의 말인지 의견이 분분하지만
"내가 먹는 게 곧 나다"라는 말이 있다.
비슷하게 18세기 프랑스의 사법관이자 미식가였던
앙텔름 브리야사바랭은 이렇게 말했다.

"무엇을 먹는지 말해보라.

그러면 당신이 어떤 사람인지 말해주겠다."

그만큼 무엇을 어떻게 먹느냐가 삶에 중요하단 얘기다.
좋은 것으로 잘 먹어야 한다.
365일 매식과 인스턴트로 끼니를 때우는 사람을 보면
정말 안쓰러우면서도 짠하다.

내가 먹는 것에 이리 목숨걸 듯 매달리는 이유는
내 몸이 건강하지 않기 때문이다.
어려서부터 병약해 이런저런 수술과 입원 퇴원을 반복했다.
지금도 여기저기 문제점을 달고 살기에
먹거리에 관한 한 까다롭게 산다.
그나마 지금껏 아슬아슬 잘 버틴 이유다.
그렇게 먹을 것 가지고 안달복달하더니
겨우 그만큼 살았냐고 할지라도
나로선 지금 떠나도 아주 장수한 거다.

사실 장수도 좋지만 얼마를 살든
건강하게 사는 게 바람직하다. 그러니 음식이 중요하다.
사람의 건강은 피에 있고, 피를 만드는 건 음식이니까.
너무 묽거나 끈적거리면 건강하지 않다는 거다.
그런데 다들 인스턴트 음식과 음료수를 너무 많이 먹는다.

문제는 음료수에 설탕이 너무 많다는 점이다.

뇌에 필요한 건 포도당인데,
설탕은 제가 포도당인 척하고 뇌로 향한다.
그래놓고는 금방 사라지니 공허한 기분이 드는 거다.
뭘 먹더라도 먹은 것 같지도 않고.
뇌가 활동을 안 하니까 깊게 생각을 할 수 없고,
지구력, 집중력 저하, 불안증이 기승을 부린다.
만약 심신이 피폐하다면 최근에 무얼 먹었는지 살펴보자.
그래서일까, 나는 밥을 잘 먹는 사람을 좋아하지만
아무거나 맛있다고 막 먹고, 먹기를 우습게 아는 사람과는
정말이지 만나기가 싫다.

내가 먹을 수 있는 밥, 그걸 나눌 수 있고
비슷한 생각으로 사는 사람들과의 만남이 즐겁다.
농수산물 판매자와 페이스북 친구를 맺고
좋은 먹거리 재료와 조리법을 공유하고
함께 모여 여행하며 맛있는 거 해 먹고.
너무 호화판을 바라는 건가?
그렇다고 해도 서로 조리법을 알려주고 배워가며 사는 삶이
내가 꿈꾸는 노년의 삶이다.
할 수 있을 때까지 부지런히 해 먹고 살아보자.

우! 의숙,
좌! 인조

친구를 많이 사귀진 않지만
한번 사귀면 죽을 때까지 가는 편이다.
나의 친구들은 대부분 먹는 데 목숨건 사람들.

나주에 사는 나의 오른팔 의숙이는
〈늙은 창녀의 노래〉의 기획보조였던 친구다.
그 친구가 이십대일 때 만났는데 지금은 오십이 넘었으니까,
30년 가까이 알고 지낸 거다.
예전에 내가 의숙이를 보러 나주에 내려갔는데,
그곳 기운이 너무 좋아 보였다.
옛 골목의 풍경이 변하지 않고 남아 있어서

그 시대로 돌아가는 기분이 들었다.
물어보니 6·25 때 폭격을 한 번도 안 맞은 곳이 나주란다.

"여기 너무 좋아, 의숙아.
너 여기에 땅 사라."

드디어 의숙이는 재작년, 나주에 땅을 샀다.
말이 씨가 되는 좋은 예! 이런 상황은 너무 좋다.

인조는 의숙이가 기획제작한
(의숙은 기획보조에서 제작자로 성장한 케이스다)
2008년 연극 〈민자씨의 황금시대〉에 출연했던 배우다.
공연이 끝나고 허리에 또 탈이 나 꼼짝도 못한다는 소식에
의숙이가 단번에 인조에게 전화를 걸었다.

"인조야, 뭐 하고 지내? 놀아?
그럼 양희경 선생님 운전 좀 해드려!"

그렇게 인조는 우리집에서 2년을 살았다.
우리 큰애보다 한 살 어려서 그냥 딸이 된 거다.
그렇게 다들 나를 어머니라고 부르니
챙겨줘야 할 녀석들투성이다.

어리든 동년배든 선배든 그 사람과 마음을 주고받으면
내가 먼저 떠나는 일은 없다.
우 의숙 좌 인조. 여성 삼인조, 연극이 맺어준 인연이다.
오래도록 함께할 친구들!

의숙이랑 인조는 내가 뭘 만들어줘도 다 좋아한다.
오히려 너무 많이 먹어서 걱정일 정도다.
이들을 집으로 부른다고 특별히 무언가 준비할 것도 없다.
가족과 다름없으니 그냥 있는 대로,
우리 식구들이 먹는 집반찬을 함께 먹는다.

다른 후배들 중에도 맘 주고받으며 오래된 인연이 많다.
다 챙겨주고 보듬어줄 수 있는 어른이 되고 싶다.
덩이들이 질풍노도의 사춘기를 통과할 때는
나도 정신이 없어서
주변의 어린 친구들을 잘 챙기지 못하고 살았다.
이제 다시금 그런 친구들이 눈에 보이기 시작해
맘에 걸려서 챙기게 됐다. 밥과 함께!
내 사람과 사람, 그 중심엔 언제나 밥이 있으니까.

나의 집밥을
제일 좋아하는 중강

내 기억이 사라지기 전에
아이들에게 남길 것이 될지도 몰라 시작한 '음식 일기'.
부지런히 먹고 걷고, 읽고 쓴다.
나의 음식 일기란 그날 뭘 해 먹었는지 간단하게 사진 찍고
거기에 짧은 일기를 덧붙이는 형태의 기록이다.

나이가 들어서인지 자꾸 어제 뭘 했는지 까먹는다.
이것도 부엌 놀이처럼 '기억 놀이'라고 할 수 있겠다.
그 기록을 보는 내 페이스북 친구들은
전부 농부 아니면 셰프다. 동종업계 쪽은 거의 없다.

그중에서 국악평론가 윤중강은
페이스북에서 가족처럼 내 삶으로 들어온 친구다.
의숙이하고 내가 사진을 올리고 이런저런 얘기를 나누면,
꼭 거기에 중강이 슬그머니 댓글을 달았다.
그러다 대학로에서 만나 같이 밥 먹고, 공연까지 보러 갔다.
그뒤로 일 년에 두어 번은 만나 밥을 먹었다.
그러다 알게 되었다.
중강이 혼자 밥을 먹은 지가 너무 오래되었다는 사실을.

고등학교를 입학하자마자 휴학하고
검정고시로 서울대 국악과에 들어간 중강은
그때부터 독립해서 혼자 살았단다.
그러고 나서는 제대로 집밥을 못 먹어본 거다.
그런데도 중강은 건강하다.
기름지지 않고 맑은 음식을 좋아하기 때문이다.
나랑 식성이 잘 맞는다.
내가 페이스북에 음식 사진을 올리면
너무 맛있겠다고 군침을 흘린다.
그래서 5년 전 중강의 생일 때 한번 집에 불러서
시금치 된장국을 끓여줬다. 엄청 먹었다.
집에서 차려준 밥을 저렇게 맛있게 먹으니까
나도 신이 났다. 실은 별것도 없는데.

그렇게 지금까지 가능한 한 중강의 생일 때가 되면
그를 집으로 불러서 밥을 해 먹였다.
세상에서 내 밥을 가장 좋아하고 또 먹고 싶어하는 중강은
"맛있다, 맛있다. 너무 좋아, 너무 좋다" 하다가
소파에 쓰러져 한숨 자고, 또 휘리릭 간다.
그런데 매번 시금치 된장국을 해주면 지겨울까봐
작년엔 기껏 신경써서 배추로 된장국을 해줬더니
자긴 역시 시금치가 '갑'이었단다….
아마 중강의 생일(연말)에는 섬초가 한창일 때라
그게 더 맛있었을 듯하다.

페이스북 일기에 음식 사진이 없으면 제일 섭섭해하는 아우.
대한민국 국악, 뮤지컬, 연극 공연계에서
제일 바쁜 평론가 중강!
내 밥을 좋아해줘서 고마워!

내 멋대로
심슐랭스타

친구들을 만날 때면 보통

각자 음식을 해오는 '포틀럭 파티'를 하거나

아예 집으로 초대한다.

그렇게 집에 찾아오는 사람들과는 음식으로 대화를 시작해

점차 나누는 이야기들이 광대해진다.

수다스럽기도 하지.

이 음식은 누가 만들었고 누가 비슷한 걸 한 적이 있고.

이런 화제부터 각자 자기 사는 얘기까지 다 한다.

먹는 자리에선 모든 얘기를 나눌 수 있기 때문일까.

다른 자리하고는 좀 다르다.

음식은 내가 좋아하는,

속을 터놓는 사람하고만 먹을 수 있으니까.

당연히 언제 식사 한번 하자는 말을 남발할 수 없는 일이다.

더욱이 밖에는 입맛에 맞는 것이 별로 없고

계속 재료를 따지게 되니 외식 약속을 잘 잡지 않는 편이다.

억지로 나가서 불편한 기색으로 외식을 하다보면

친구들끼리도 서로 불편해진다.

하지만 매번 집에서만 만날 수도 없는 법.

여의치 않을 땐 내가 좋아하는 식당으로 그들을 데려간다.

마포의 '히말라야 어죽'

상암의 '맛있는밥상 차림'

인사동의 '꽃밥에 피다'

수원 앨리웨이의 '두수고방'

디저트로는 삼각지의 '카카오봄'.

모두 건강한 제철 재료를 쓰는 곳이다.

이런 곳에 가면 기꺼이 내 돈으로 밥을 사준다.

한편 남이 뭘 사준다고 나오라고 하면 거절부터 하게 된다.

이유는 수백 가지도 넘는다.

"나 주말에 안 나가는데." "나 강남에 안 가는데."

"나 아무거나 못 먹는데."

간혹 육백 년 만에 저녁 약속이 있는 날도 있다.
친구들끼리 만나는 자리임에도
매서운 평가를 마다하지 않는 '심슐랭'들.
'심술부리다'의 심술과 '미슐랭'을 섞은 것이다.
만나서 식사를 마치고는

"오늘 저녁은 심슐랭 3.5점이었네!"

씩씩거리며 얘기하다 나온다.
이 심슐랭 점수 매기기가 아주 재미지다.
편협하진 않다!
맛있으면 칭찬이 쏟아지는 심슐랭이 된다.

음식을 평하는 모임으로 이름 붙였지만
사실은 그저 다들 바쁜 시간을 쪼개고 쪼개 만나는 것으로,
얼굴 볼 수 있는 것만으로 흡족하다.
일 년에 한 번 보기도 힘들게 바빠진 것이 아쉬울 따름이다.

오늘도
단골가게

오랜만에 남대문시장에 있는 단골 채소가게에 들렀더니
몸이 편찮다던 아저씨가 나와 계셔서
무척 반갑게 인사를 드렸다.
두 분은 늘 토종 국산 재료들만 갖다놓고 파신다.
물건이 많지도 않고 알토란, 알짜배기만 있어서
꼭 들러 뭐라도 사온다.
내가 좋아하는 토란, 쪽파, 생강, 더덕.
이번에 물김을 사니 배추 한 통을 싸주신다.
덕분에 배춧국 맛있게 끓여먹었다.

그런데 최근에 이 단골 채소가게도 문을 닫았다.

두 분이 연로하여 가게를 운영하기가 너무 힘드니
문을 닫기로 하셨단다. 눈물이 핑 돌았다.
인사도 제대로 드리지 못했는데… 너무 섭섭했다.
쉬시면서 건강을 충분히 회복하셨기를 바란다.

나는 시장을 좋아한다.
백화점, 슈퍼마켓 이런 곳보다
시장에서 장 보는 것을 좋아한다.
그 옛날 삼풍백화점도 한 번을 가본 적 없이 사라졌다.
마음이 답답할 때는 산 위에 오르라지만
일상 속에서 속상하고 힘 빠질 때에는
재래시장에 한번 가보시라 권한다.
슬슬 걸어다니다보면 시장 사람들의 기운에 힘을 받아
다시 허리띠 질끈 매고 살아가게 된다. 시장의 힘이다.
삶이 치열하게 오가는 진정한 배움터!

옥인아파트에 살 때 늘 가던 통인시장에는
지금도 그 자리를 지키는 상인들이 계신다.
기름떡볶이 할머니는 돌아가셨지만
채소가게 생선가게 몇 집이 남아 있다.

여의도 대교상가 지하 시장은

지금도 채소, 고기, 건어물, 떡 가게들이 자리하고 있어
그곳을 지날 때면 꼭 장을 보러 들른다.
거기 채소가게는 작년에 주인아주머니가 아프셔서
문을 닫아 너무 애석하다.

요즘은 마포농수산센터, 김포와 장항의 로컬푸드,
일산 우리밀 생협, 한살림, 가회동의 네니아 매장 등이
나의 단골가게들이다.

단골집밖에 모르는 나는 변화를 싫어하는 사람인가….
그렇네! 하지만 딱히 불편하지도 않은걸.
오히려 그때그때 가는 곳,
나간 김에 들러서 장 볼 곳들이 있어 든든하다.
나의 아주 듬직한 빽이다.

3부

오후 네시의 간식 타임

재료가 자라난 방법과 환경이 중요하다.

그게 순환이다.

그렇게 배우고 열린 마음을 유지하고

서로 소통하는 게

중요한 열쇠다.

빼먹을 수 없는 디저트

밥을 가장 좋아하지만 밥으로만 살아갈 수는 없다.
군것질은 우리에게 기쁨을 주지만,
생각해보면 피에 제일 해로운 게 당분이다.

하지만 나는 단걸 좋아한다.
정확히 우리집 식구들 모두가 좋아한다.
어려서는 엄마가 직접 만들어주셨던 젤리나 꽈배기,
초콜릿푸딩 등을 먹으며 자랐고,
하늘 문이 열리면서는 외국의 단것들을 많이 먹었다.
대부분 간식이나 주전부리로 찾게 되는 것들이다.
얼마나 잘 먹었는지 단 과자나 사탕, 캐러멜 때문에

중학생 때 잠시 당수치가 높아져 당뇨가 왔던 적도 있다.
스트레스가 클수록 단걸 찾게 된다더니 진짜였다.

하지만 단거danger는 말 그대로 위험하다.
나이가 들고부터는 그 위험한 맛을 조심하며 살고 있다.
그래도 좋아하는 맛임에는 변함없다.
그럼 단맛은 다 좋아하느냐?
음식이 단 건 또 별로 좋아하지 않는다.
요즘은 단짠이 유행이라는데
어쩌다 그런 음식을 먹고 나면 기분이 영 나빠진다.
그러나 디저트의 단맛은 역시나 좋아한다.

빵도 엄청 좋아하지만 자제하며 지낸다.
그래도 가끔 먹을 때에는 천연 발효 빵에다가
집에서 만든 리코타 치즈 또는 잼을 발라 먹는다.
설탕을 15~20퍼센트만 넣고 잼을 만드는데,
이렇게 해 먹다보니 밖에서 파는 잼은 너무 달게 느껴진다.

그리고 빠뜨릴 수 없는 간식, 구운 가래떡과 브리 치즈!
한번은 생일에 가래떡과 브리 치즈로 파티를 하자고 했다.
왜? 제일 맛있으니까!
우리 식구들은 떡을 정말, 너무 좋아한다.

왜 이렇게 떡을 좋아할까…. 가래떡, 제일 좋다.
일 년 365일 똑같이 먹어도 안 질리는 음식, 신통한 떡!
덕분에 가래떡은 우리집 냉동실에 늘 있다.
일 년 아무 때 아무 날 아무 시에나 먹고 싶다.
마치 떡국처럼, 모든 국물에 넣어 먹어주면 기쁨이 온다.
심지어 된장국에도!

윗대부터 그래왔으니
자식들이, 또 그의 자식들도 떡을 좋아하게 됐다.
그렇지만 명심해야 할 것.
살찌는 거 싫으면 피해야 할 음식 가운데
떡과 빵은 1, 2위를 다툰다.
떡은 자꾸 먹으면 살이 떡떡 붙고, 빵은 자꾸 먹음 빵빵해진다.

처치 곤란 과일은 이렇게

들어가는 글에도 잠시 적어두었지만,

어려서는 밥보다 과일을 더 많이 먹었다.

내가 그렇게 자라서 '아이는 과일을 많이 먹는다'라고

생각하게 된 것인지 모르겠으나

두 덩이 키울 때도 유독 과일을 많이 먹였다.

하지만 다 크니까 과일을 거의 먹질 않는다.

대신 술을 많이 드시니…

나까지 덩달아 과일을 못 얻어먹는 날이 늘었다.

그래서 간혹 누군가 박스로 과일을 보내오면

반 이상을 다른 사람과 나눈 뒤

남은 반을 부지런히 먹지만, 어째 시들고 상하기 일쑤다.
그렇다고 아까운 과일들을 버릴 수 없으니
그때 만드는 것이 '앞저트'나 '뒤저트'용 설탕 절임이다.

10퍼센트 미만의 설탕만 들어간 과일 설탕 절임은
냉장고에서 제법 오랫동안 효자 노릇을 한다.
누군가 집으로 놀러와서 함께 밥을 먹었는데
마땅한 디저트가 없을 때,
이걸 짠! 내놓으면 대부분 좋아라 한다.
시판되는 청이나 잼보다 설탕이 훨씬 적게 들어가니
별로 달지 않고 과일 맛은 살아 있으니까!

그러니 언제든 복숭아, 사과, 배, 키위가
냉장고 한구석을 차지하고 있으면 항상 만들게 된다.
(참고로 방울토마토는 데쳐서 매실청과 올리브오일로 절인다.)
그런데 아들들은 거들떠도 안 본다.
이런 게 집에 있는지도 모른다.
잘된 일이지, 뭐!

건강하게 달달한 간식:
잼과 절임, 후무스

☑ **과일 잼**

- ☐ 마르거나 병든 과일을 손질해서 냄비에 넣는다.
- ☐ 설탕을 과일의 20퍼센트만 넣어준다.
- ☐ 뚜껑을 닫고 설탕이 녹을 때까지 기다렸다가 끓인다.
- ☐ 끓어오른다 싶으면 뚜껑을 열고 약불로 줄인다.
- ☐ 걸쭉해지면 과일을 주걱으로 잘 으깨준다.
- ☐ 소금과 레몬즙을 조금씩 넣고 한소끔만 더 끓여준다.
- ☐ 소독해둔 병에 담아서 식을 때까지 거꾸로 둔다.

참고로 내가 만드는 잼은 설탕이 적게 들어가서

오래 보관이 어려우니 조금씩 만들어서

맛있을 때 바로바로 먹어치우자!

☑ 과일 설탕 절임

- ☐ 과일을 썰어서 냄비에 깐다.
- ☐ 과일의 10퍼센트 미만의 설탕을 뿌려서 잠시 재운다.
- ☐ 설탕이 녹으면 중약불에 끓인다.
- ☐ 과일이 다 익었으면 소금과 레몬즙을 살짝 넣는다.
- ☐ 소독한 병에 담아서 식을 때까지 거꾸로 둔다.

소금과 레몬즙은 선택이지만

소금이 단맛을 확 올려주니 꼭 넣는다.

뚜껑을 열지 않으면 꽤 오래 보관할 수 있다.

☑ 콩 후무스

- ☐ 어떤 종류든 콩을 씻어 반나절 충분히 불린다.
- ☐ 푸욱 삶는다.
- ☐ 믹서에 콩이 잠길 정도로 자박하게 물을 붓는다.
- ☐ 거기에 올리브오일을 콩의 1/4만큼 넣는다.
- ☐ 취향껏 레몬즙, 마늘, 소금을 넣고 곱게 갈아준다.

서리태로 할 때는 잣도 조금 넣어준다.

병아리콩으로는 소금, 올리브오일, 식초만 넣어도 된다.

오븐 토스터에 구워 바사삭 누룽지 같아진 가래떡은

병아리콩 후무스를 찍어 먹거나 브리 치즈를 곁들여 먹으면

세상 부러울 게 없는 간식이 된다… 식사인가?

달려가는 시간과
어린 날의 기억

오래전부터 시간의 변화, 공간의 이동에
크게 마음이 동하지 않았다.
드라마와 공연은 부지런히 준비해서 막을 올리면
시작하고 끝나는 시점이 확실히 있다.
그러니 내 일상도 그에 맞춰 적응시켰고,
몸도 마음도 그것에 맡은 바를 다했다.
원래부터 내 삶이었던 듯 편안한 생태계다.

예전에는 대부분 드라마를 6개월씩 했으니까
일 년에 계절이 딱 두 번 있는 것만 같았다.
물론 봄과 가을 개편이 정확했던 시절의 이야기다.

그렇게 두 계절을 맞이하고 또 보내면 일 년이 흘렀다.
시간이 어찌나 빠른지
작품 두 개 하면 해가 바뀌고 나이를 먹더니,
어느새 칠십이 되었다.

이게 사실인가. 해놓은 것도 없는데 나이만 먹었다.
방송국의 시간은 정말 빠르게 흐른다.
옛날에는 일이 많았고 그만큼 시간도 빨리 흘렀는데
지금은 일이 없어도 빨리 흐르는 나이가 됐다.
아무 한 일이 없는데 하루가 간다는 어르신들 말씀이
가슴에 팍팍 꽂힌다.
아침인가 하면 저녁이란다.
봄인가 하면 가을이 됐고, 2년쯤 흘렀다 싶음 5년이 흘렀다.

혼자 부엌 놀이 열심히 하고 있는데
새벽에 온다던 아들이 일찍 귀가했길래
생일맞이 미역국 한 그릇 뚝딱 해줬다.
44년 전 이날, 친구 집에 동창모임을 갔다가
예정일보다 보름 먼저 양수가 터졌다.
화들짝 놀라 혼자 버스를 타고 세브란스병원으로 갔다.
담당의사께서 "오늘 집에 못 가겠네" 하셨는데
웬걸, 두 시간 만에 쑴풍 낳았다.

그렇게 느닷없이 예정과 다르게 엄마가 됐다.
내 나이 스물여섯에.
그때 내가 낳은 아들이 마흔다섯이라니, 믿기질 않네.
저런 덩이들을 내가 낳았다니.
물론 날 땐 3.5킬로그램, 2.8킬로그램이었지만.
너무 열심히 해 먹여 뻥 튀겼나. 미안, 덩이들아!

"얘, 내가 벌써 칠십이다!"

한편 날 자식처럼 챙기고 키워 시집까지 보내준 울 언니가
칠순이 지나며 한 말이다.
그러게, 정말 '벌써'다. 끔찍하게 시간이 흘렀다.
첫아이 희은을 낳은 엄마가 올해 아흔넷이다.
늙은 딸들이 더 늙은 엄마를 본다.
우리는 저 나이까지 살까? 엄마처럼 똘똘하고 건강할까?
어림없을 듯싶다.

엄마가 자랄 땐 산천초목이 깨끗하고 맑아
흙을 먹어도 탈이 없고,
다 같이 못 살던 시절이었으니 아귀다툼도 없었다.
다시 그런 때로 돌아가면 나아질까?
젊어지고 싶은 마음은 전혀 없다만 그런 시절은 그립다.

뭐든 나누고 없어도 베풀고
이웃 사정, 숟가락 젓가락이 몇 개고
누가 다녀가고 누가 와서 잤는지 서로 다 알고
형제자매처럼 지내던 이웃들.
그 이웃들은 다 어디서 어떻게 살고 있을까?

나는 유독 언니, 동생, 오빠들이 북적대는 이웃집에 가서
그 식구들과 함께 밥 얻어먹는 걸 좋아했다.
우리 언니는 나를 잘 데리고 다녔지만,
데리고 다니기 귀찮을 땐 이런 이웃집에 맡기고
훠이훠이 놀러 나간 적도 많았다.
쪼르르 붙어 있던 판잣집들, 담은 있어도 없는 듯 다녔다.
그래서 어느 집에서나 밥을 얻어먹을 수 있었다.
이런 삶이 그립다.
(지금 생각해도 신기했던 것은
그때 그 판자촌의 아버지들은 다 집에 계셨다는 거다.
하루종일 집에 누워 계시거나 술을 드셨다.
아이도 셋에서 여섯, 많게는 아홉까지 낳아 기르던 시절인데
어머니들은 도대체 뭘 갖고 식구들을 해 먹이셨을까?
내가 가장이 되고 나니 그 어머니들 생각이 자꾸 난다.)
그 가난한 살림에도 밥때에 가면
수저를 놔주시고 밥 한 공기 따숩게 떠주셨던 어머니들!

고맙습니다.

계모의 구박을 피해 참 많이도 찾아가 얻어먹고 지냈네요.

고맙고 고맙습니다.

어른들 말씀에 애 낳은 달은 아프다더니,

몸이 그때를 기억하고 여기저기서 신호를 보낸다.

잠들기도 어렵고 한쪽 다리가 이상하게 아픈 것이

기분도 어쩐지 우울해진다.

에이, 우울은 버리자! 털고 나아가자!

나에게 명령한다. 전진 앞으로!

그럼 몸뚱아리들은 볼멘소리를 한다.

'에구구, 이젠 힘이 달린다구!'

어느 날 덜컥
무릎이 고장났다

2021년 12월 24일 크리스마스이브.

제주에서 올라오는 비행기 내에서 오른쪽 무릎이 불편했다.

집에 와서 하루 자고 나니 영 거북했고

하루이틀 지나니 아예 못 걷게 되었다.

전에 운동하다 왼쪽 무릎을 다쳐서

오른쪽을 더 쓰며 살았는데,

그 전날까지도 잘 걷고 다녔던 무릎이 이렇게 갑자기….

정형외과 MRI 검사를 받았더니

연골이 하나도 없다고, 당장 시술하지 않으면

무릎이 3개월을 못 버틸 거라는 결과가 나왔다.

KBS 드라마 〈당신이 소원을 말하면〉을 찍고 있던 터라
무턱대고 시술할 수가 없는 상황이었기에
일단 보류하기로 했다.
결국 휠체어를 탄 채로 여기저기 오가며 촬영을 마쳤다.

그후로 망가진 무릎에 좋다는 운동을 하고
척추 신경에 대침을 맞으며 4개월을 지낸 뒤 내린 결론은,
무릎 주변 소근육을 키우고
몸을 재정비하는 운동 치료를 받아야 한다는 것.
항생제 부작용이 만만치 않게 있는 나라서,
어딘가 몸이 아프면 그 치료 과정이 너무 무섭다.
무릎 수술은 생각하고 싶지도 않았다.
그래서 오랜 시간이 걸리더라도 근육 만들기를 택한 것이다.

365 바른척추에서 카이로프랙틱, 두손치유에서 지압을 병행했다.
카이로프랙틱이나 지압 모두
몸의 문제점을 다른 사람의 손으로 해결하는 치료다.
틀어진 뼈를 맞추고 뭉친 근육 등을 풀어주는 것.
여기에 운동으로 필라테스까지 더해 5월부터 지금까지
밤마다 계속되는 통증과 함께
지난한 운동 치료 시간이 이어졌다.
꾹 참고 운동을 매일 하루에 80~90분씩 하자

천천히 근육이 붙고 다리에 힘이 생기는 걸 알 수 있었다.
한동안 접었던 부엌 놀이도 조금씩 할 수 있게 되었다.
(몸무게를 줄이면 훨씬 수월한 일이지만
7킬로 이상 줄여지지는 않는다.)
그렇게 6개월이 지나고 40분 정도를 걸을 수 있었다.
이럴 때 단백질과 콜라겐을 잘 먹어줘야 한다 하길래
콩 단백질과 달걀을 좋아라 먹었다.
하지만 두부지짐이나 찌개 속 두부가 질리면
포슬포슬한 두부 달걀찜을 해 먹었다.

☑ **두부 달걀찜**

- ☐ 팬에 아무 기름을 두르고, 채 썬 양파를 늘어지게 볶는다.
- ☐ 여기에 으깨놓은 두부 한 모를 넣는다.
- ☐ 덖어놓은 잔멸치를 넣고 휘리릭 휘저으며 잠깐 볶는다.
- ☐ 달걀 5개를 풀어 함께 넣고 휘젓는다.
- ☐ 소금과 후추로 간한다. 팽이버섯 있으면 같이 넣는다.
- ☐ 편평하게 두드리고, 뚜껑 덮어 약불에 달걀을 포옥 익힌다.

큼직하게 떠서 먹으면 식사 대용으로 좋고
빵 사이에 넣어서 샌드위치로 먹을 수 있다.

무릎 회복 과정을 단순히 몇 줄로 썼지만
사실 이렇게 해내는 과정이 몹시 힘들다.
아프게 된 무릎은 일단 시술하고 몇 년 쓰다가
더 망가지면 인공관절 수술을 하는 것이 수순이다.
통증이 너무 심해 잠조차 제대로 잘 수가 없으니,
수술을 택하게 되는 게 일반적이겠지.
이 나이에, 특히 여성들에게 흔한 몹쓸 병이다.
오장육부 중 어디가 고장나거나 사지가 불편해지는 것.
늙는다는 건 이런 거겠다.
심신이 다 건강하기가 어디 쉬운 일일까?
그나마 달리기나 멀리뛰기를 하고 살 것도 아니니,
생활 보행을 하는 정도면 되겠다 싶다.

지금도 간간이 밤에 통증이 이어진다.
그래도 이 정도면 견딜 만하다.
2022년은 무릎과 씨름하며 지냈다.
나와 똑같은 상황에, 비슷한 생각을 하는 동무들에게
심심한 마음의 보탬이 됐으면 한다.

백 세 시대,
칠십에게 주어진 일

옛날엔 태어나서 환갑을 넘기기 어렵다고
그때까지 살아 있으면 잔치를 크게 했다.
그런데 지금은 팔십을 예전 육십 정도로 생각한다.
100세의 조부모가 계시다면 70~80세의 부모가 계실 테고,
50~60세의 자식이 있을 테니 말이다.
경제활동이 줄어든 장년의 자식들이
부모와 조부모를 모셔야 하는 상황이 많아졌다.
하지만 물리적으로 신체는 남녀 공통
65세부터 노인의 증세를 보인다고 한다.
온몸이 삐걱거리고 맘처럼 움직이지 않는다.
몸 따로 마음 따로.

이래서 미리미리 건강한 몸 만들기를 해놓아야 한다.
남자는 여자와 달리 몸에 근육이 많고 골격이 튼튼하니,
어려서부터 몸을 많이 움직이고 운동도 적잖이 하고 살면
늙어도 버틸 수 있다.
문제는 아이를 낳고 기르면서
별 운동 없이 살아온 주부 동지들이다.

내 경우는 스물두 살에 허리를 크게 다쳤다.
어느 큰 병원에서는 당장 수술해라,
다른 큰 병원에서는 물리치료 해보자는 답을 들었다.
하지만 그 시절 시집도 안 간 처녀에게
허리 수술을 시킬 수 없다고 판단한 어머니의 결정으로
수술 대신 물리치료와 한방을 병행하며
3개월을 누워 지냈다.
겨우 몸을 일으키게 된 후로 좀 나아지나 싶었는데
이 고질병은 첫아이를 낳고 재발했다.

그때를 시작으로 서른아홉부터 마흔 후반까지
허리가 나를 좌지우지했다.
조금이라도 과로하면 삐거덕하며 한 달을 절절매어 살고,
공연하다가도 촬영하다가도 덜커덕 탈이 나곤 했다.
물리치료, 추나요법, 지압, 마사지까지

온갖 대체 의학에 의지하다가
사십대 후반부터 내 몸은 내가 다스려보기로 마음먹었다.
문제는 근력과 스트레칭으로 그럭저럭 버티고 살다가
엄마와 일본 여행을 가면서 사달이 났다.
여행 도중 죽음의 문턱까지 다녀오신 엄마를
(이 얘기는 뒤에서 하겠다) 16개월 모시고 간호해드리면서
그만 아침 운동을 놓치게 된 거다.
제대로 운동을 안 하고 겨우 걷기만 했더니
그 후폭풍으로 덜컥 무릎까지 망가졌다.

지금도 다시 운동을 통해 몸을 되살리는 것에 여념이 없다.
망가지기 전으로 돌아가긴 어렵겠지만
주저앉지 않게 해줘야 할 일이다.
피를 맑게 하는 건 음식으로, 근력 키우기는 운동으로.
사는 날까지 죽어라 할 일이다,
칠십대에 들어선 내게 주어진 일!
남들처럼 튼튼 칠십은 아니겠지만 해보는 거다!

제자리를 걸으며 만난 철학자들

공기가 좋고 날이 좋으면 정발산의 둘레길을 걷는다.

무릎이 아파서 높은 곳에 올라가지는 못하고

주변만 도는데 그 정도로도 충분히 좋다.

걷는 동안엔 만사의 시름을 다 잊을 수 있다.

무념무상하게 사계절 동안

자연의 경관이 가지가지로 바뀌는 모습을 보면서

어머, 어제하고 또 다르네 사진을 마구 찍는다.

그게 나의 힐링이었는데 요즘 하늘이 예전만 못하다.

코로나 이후에 맑아진 것도 잠시, 공기가 너무 나빠졌다.

나의 걷는 즐거움을 빼앗겨버렸다.

그래서 집 안에서 제자리걸음을 시작했다.

제자리걸음, 쉬워 보이지만 절대 쉽지 않다!
나는 공연 전후로 잠깐 쉴 때마다 30분씩 걷는데,
정자세로 제대로 걸으면 15분 만에 땀이 죽죽 난다.
처음 내게 제자리걸음을 알려준 건
그 당시 허리 치료를 해주신 카이로프랙틱 선생님이다.
이 선생님이 말하기를,
본인에게 치료받는 사람들 모두에게 이 운동을 알려줬는데
그걸 실천한 사람은 나뿐이었다고 했다.

이상하게도 돈 안 들고 스스로 할 수 있는 건
다들 잘 안 하려고 한다.
맨손 체조, 스트레칭, 근력 운동이나 걷기,
제자리걸음, 실내자전거, 기타 등등.
간단하니 꾸준히만 하면 확실하게 건강을 지킬 수 있으나
이런 것들이 오히려 실천하기 어렵다.
인생에는 그런 것들 천지다.

나는 제자리걸음을 하면서 종종 다큐멘터리를 보는데
요즘 보는 건 넷플릭스 〈셰프의 테이블〉이다.
그걸 거의 공부하듯이 본다.
그런데 거기 셰프들이 어떤 음식을 만드는지는
사실 나에게 하나도 중요하지 않다.

'모든 셰프들의 인생은 평탄하지 않았다.'
'그들은 안주하지 않고 변화를 시도했다.'
'그 과정에서 자기만의 창의력을 발휘했다.'
이것이 그 다큐멘터리의 포인트!

☑ **슬로베니아의 셰프 아나 로스**

사랑 없이 성공하긴 힘들다. 주방에서도 똑같다.
사랑받을 때 창의성이 발휘되고 열정도 생겨나
좋은 생각을 더 많이 할 수 있단다.
사랑은 필수겠다.

☑ **프랑스의 셰프 도미니크 크렌**

고아원에서 양부모에게 입양돼서 자랐다.
가끔 과거는 그대로 두고, 건드리고 싶지 않기도 하다.
과거의 기억을 고스란히 간직하며 때때로 되짚는 것,
어린 시절을 보낸 장소를 이해하는 것은
제 색깔을 이해하는 것과 깊은 연관이 있다.
요리는 모든 것을 연결하는 것이다.
자연은 어린 시절을 불러일으켜 즐겁게 해주니

숲속 깊이 들어가 지구가 아껴둔 보물을 찾는다.

☑ **브라질의 셰프 알렉스 아탈라**

모든 요리 위에는 죽음이 있다. 인간은 그걸 모른 척한다.
인간은 자연 속에 아주 작은 일부분일 뿐.
식물의 생명도 순환이다.
열매가 맺히고 그 열매가 익어 떨어지면
그 안의 씨가 다시 자란다.
셰프 역시 그 순환의 일부에 지나지 않는다.
다만 좋은 음식은 내 출신 배경의 틀에 갇히지 않고
벗어나는 걸 보여주는 것.
마음을 열면 그 어떤 재료도 맛있는 음식이 된다.

또다른 셰프들의 이야기인 〈길 위의 셰프들〉에는
남편의 폭력과 주정에 시달리다가
뛰쳐나와 요리로 먹고살기 시작했다는 여자들이 출연했다.
그중 한 사람이 인터뷰에서
"지금은 쉴 때가 아니야. 죽으면 쉬어"라고 말했다.
연극학 책에서도 나오는 얘기다.
그래, 공부는 저렇게 살면서 하는 거지.

몸으로 겪으며 배우는 게 최고지 싶었다.

그렇게 요리를 시작한 그 사람들은
디저트뿐만 아니라 고기, 채소 요리에다가
자기들만의 독창적인 생각을 넣는다. 너무 멋있다.
죽을 지경까지 힘들었고 어디서도 인정받지 못했지만
그걸 딛고 일어선 다음에도 안주하지 않은 채
계속 새로운 걸 시도했다는 점에서,
나는 제자리걸음을 걸으며 존경하는 마음으로 시청했다.
방송에 등장하는 그 사람들의 이야기가
웬만한 철학자들이 남긴 글에 버금가게 좋다.
내가 존경해 마지않는 길 위의 철학자들이다.

사람의 몸은 어찌나 신기한지,
스트레칭을 3일만 잘 해주면 굳은 몸이 풀리고 유연해진다.
몸은 움직이면 움직여주는 대로 생각보다 말을 잘 듣는다.
일주일쯤 지나면 힘이 좋아지는 게 느껴지고,
걷는 게 달라지고 팔 쓰는 게 달라진다.
찢어질 듯한 고통을 이겨내고 하다보면 원하는 만큼 된다.
눈 꼭 감고 3개월을 해내면 전후가 굉장히 다르다.
주저앉으면 눕게 되고, 누우면 일어나기 싫어지는 몸이다.
참으로 신통한 인체!

그러니 쉬지 말고 움직여야

살아가는 사람의 몸이라 할 수 있다!

제자리걸음과 주방의 철학자들이 내게 가르쳐준 교훈이다.

씨앗이
빛나는 것처럼

인간이 끝까지 지켜야 할 것은 종자다.
〈씨앗: 우리가 몰랐던 이야기Seed: The Untold Story〉라는
다큐멘터리가 있다.
지구에서 점차 사라지는 종자에 대한 이야기로,
20세기에 들어서면서 식물종의 94퍼센트가 사라지자
기관을 설립해 종자를 지키려는 사람들이 등장한다.
근데 누군가가 저곳을 쳐서 없애기라도 하면
그 노력들이 다 끝나는 거다.
실제로 전쟁으로 이라크 정부의 종자 은행도 파괴되었다.
종자가 사라져서 먹거리가 사라진다는 건
우리도 사라지는 거 아닌가!

너무 무서웠다. 모두가 경각심을 가져야 할 문제다.

〈셰프의 테이블〉에 나오는 엔니케 올베라.
이 사람이 종자에 대해 굉장히 중요한 얘기를 했다.
다름 아닌 종자를 지키기 위해서
셰프들은 농사를 짓는 사람들과 교류하고 상호보완한단다.

“씨앗은 많은 지혜를 담고 있다.
지난 60~70년간 그런 지혜를 묵살했다니
정말 안타까운 일이다. 아름다운 건 지켜야 한다.”
“멍청한 거보다 늙는 게 낫다.”
“기원을 찾게 되면 공감할 수 있다.”

종자와 순환을 이해하는 사람들의 얘기는 정말 진하다.
종자에 관심 갖는 사람들이
유독 해외에 많은 건 자기네가 쓸 재료를 심는 텃밭,
즉 뒤뜰을 가진 사람들이 많기 때문일 거다.
재료가 자라난 방법과 환경을 아는 것은 중요하다.
그게 곧 순환을 보여주기 때문이다.
스스로 먹을 식재료의 탄생과 죽음, 재탄생을
직접 눈으로 보고 손으로 만지며 살아온 사람들은
순환의 중요성을 잘 알고 있다.

식재료가, 자연이 우리 삶에 어떤 영향을 주는지
몸소 깨닫게 되니까.

인간 역시 그 순환의 일부분이라서
열린 마음을 유지한 채 서로 소통하는 게
삶을 살아가는 데 중요한 열쇠다.
그걸 배운 사람들은 다른 나라에서 살아가며
그 어떤 음식과 섞이게 되더라도
자기 색깔을 버리지도 잃지도 않는다.
그런 사람들이 빛나는 거겠지.

콩 한 알, 쌀 한 톨이 땅에 묻혀
다시 태어나면 얼마나 많은 일들이 일어나는지.
씨앗의 힘이 너무 감사하다.
이런 종자들을 보존하고 유지하는 농부님들이
세상 제일 고맙다.

추억이 스며든 울면과
알리오올리오

입학이나 졸업식, 방학식 같은 특별한 날마다
얻어먹을 수 있던 짜장면은 우리 어린 시절의 별미였다.
지금도 그렇지만 중국집은 참 동네마다 흔했다.
우리 엄마는 내가 계모 밑에서 잘 못 얻어먹고 자랄까
걱정이 되셨는지 돈 없이도 먹을 수 있게
동네 중국집에 외상 장부를 만들어주기도 하셨다.

그런데 달짝지근한 짜장면을 좋아하던 다른 친구들과 달리
나는 특이하게도 울면을 좋아했다.
지금도 상상만 하면 그 맛이 입안에 가득 찬다.
최근에는 이 중국집 숫자만큼 늘어난 게

바로 스파게티집이다.
요즘 이탤리언 레스토랑은 옛날 짜장면집같이 흔해졌다.
스파게티와 피자집, 그 외의 음식들도 전문점이 많다.
하지만 내가 서울예전을 다니던 시절에는 그렇지 않았다.

그 당시 우리 학교 친구들의 놀이터는 명동이었다.
지금의 명동예술극장이 국립극장으로 존재하던 시절,
그곳에 우리의 뿌리가 있었다.
음악 감상실과 '까페 떼아뜨르'가 함께했던 명동.
선술집과 레스토랑이 공존했던 곳.
곧잘 학교 끝나고, 또는 오후에 남산에서 산책 삼아
명동 쪽으로 내려와 거닐곤 했다.

거기서 처음 맛본 이탤리언 음식이
바로 피자와 스파게티다. 특히 피자가 환상적이었다.
그후로 얼마나 많은 피자, 스파게티 전문점이 생겼는지!
어린 시절 짜장면보다 울면을 좋아했듯,
(지금도 백짬뽕이 더 좋다)
나는 스파게티도 토마토 소스보다 알리오올리오가 더 좋다.
과거에는 토마토 소스 음식을 잘 먹었는데,
나이가 들수록 그 맛이 싫어져
지금은 거의 안 먹는 음식이 되었다.

그래서 대신 먹는 것이 바로 알리오올리오다.

마늘을 올리브오일에 볶고,
안초비 또는 소금과 후추로 간하는 알리오올리오.
버섯, 해산물 등 무엇을 첨가해도 맛나게 먹을 수 있으니,
밖에서 사 먹기보다
내 식으로 마구 변형시켜 먹곤 했다(어쩌다 가끔이지만).
나만의 레시피를 하나 말하자면
여기에 버섯과 봄동 또는 배추를 넣으면 별미가 된다.
3년 전 Olive 〈오늘 뭐 먹지〉에 나가서 만든
봄동 느타리 알리오올리오가 경쟁에서 이긴 덕분에
이 음식이 널리 소개됐던 적도 있다.

울면과 알리오올리오,
들어간 재료 하나하나가 소스에 가려지지 않듯
내 추억의 한 장면을 고스란히 담고 있는 요리들이다.

우리집 레스토랑:
양식 요리

☑ **봄동 느타리 알리오올리오**

- ☐ 올리브오일에 마늘 저민 것을 넣어 마늘기름을 낸다.
- ☐ 중약불에 은은하게 잘 구워진 마늘은 기름을 빼서
  따로 보관한다(냉장 보관하면 제법 오래 쓸 수 있다).
- ☐ 봄동은 가로로 얇게 썰어준다.
- ☐ 느타리버섯은 쭉쭉 찢어 소금에 절였다가 꾸욱 짜낸다.
- ☐ 마늘기름에 봄동과 느타리를 볶는다.
- ☐ 안초비를 조금 다져서 같이 넣는다.
- ☐ 간을 보고 모자라면 소금을 조금 더 넣는다.
- ☐ 재료들이 익으면 삶은 스타게티 면을 넣고 휘적인다.

☐ 그릇에 담아 구워둔 마늘 편을 올린다.

알리오올리오가 먹고 싶은데 만약 마늘과 면밖에 없다면

마늘기름만 내고 면을 삶아 기름에 뒤적거려서 먹는다.

마늘 튀긴 것도 올리고. 간은 소금, 후추면 된다.

☑ 가지/두부 라자냐

☐ 라구 소스를 집에서 만들어보겠다면…

—— 양파를 다져서 올리브오일에 한참 볶는다.

—— 마늘도 편을 썰어 듬뿍 넣고 함께 볶는다.

—— 다진 소고기를 사다 넣고 같이 볶는다.

—— 양송이버섯도 다져서 넣은 뒤 소금과 후추로 간한다.

—— 토마토 껍질을 벗기고 다져서 넣고 끓인다.

☐ 가지는 길쭉 넓적하게 썰어 소금물에 절여둔다.

(여기서 가지를 두부로 바꾸면 두부 라자냐다.)

☐ 물기를 뺀 가지를 팬에 살짝 굽는다.

☐ 구운 가지를 오븐 그릇이나 팬에 깔고 소스를 올린다.

☐ 모차렐라 치즈 올리고 가지를 또 올린다.

☐ 그 위에 소스를 또 붓고 치즈도 또 올린다.

☐ 켜켜이 쌓고 오븐에 굽거나 중약불로 팬에 굽는다.

넓적한 면이 싫어서 가지나 두부로 대체한 레시피지만

애들 어려서는 만두피를 사다가 면 대신 사용해서

미니 라자냐로 만들어준 적도 있다.

동그란 작은 그릇에 만두피, 소스, 치즈, 다시 만두피…

이런 식으로 만들었다.

☑ 라타투이

- ☐ 양파를 잘게 썰어 올리브오일에 녹진하게 볶는다.
- ☐ 집에 있는 모든 채소를 깍둑 썰어 넣고 같이 볶는다.
  (추천 재료: 애호박, 가지, 양송이버섯, 당근)
- ☐ 통조림 토마토나 생토마토의 껍질을 벗기고 으깬다.
- ☐ 채소에 으깬 토마토를 붓고 뚜껑 덮어 약한불에 끓인다.
- ☐ 채소가 다 늘어지도록 익힌다.
- ☐ 소금, 후추로 간한다.

다 같이 먹으면
그게 샐러드야

우리집 식단은 양으로 승부를 본다.

오늘도 샐러드를 산처럼 만들어놓고는 다 먹어치웠다.

염소가 따로 없다.

이러다 샐러드가 지겨워지면 우리의 겉절이가 등장한다.

겉절이가 궁하면 다시 샐러드를 만든다.

채소를 두고, 왔다갔다 내 맘대로!

그럴 수 있을 만큼 샐러드 재료는 정말 무궁무진하다.

그 어떤 채소를 마구 섞어도 서로 튀지 않고 잘 어우러진다.

다양한 피부색과 문화를 가진 사람들이

각자의 색을 지키며 살아가는 사회를

'샐러드 그릇'이라고 부를 정도니,
샐러드는 얼마나 조화로운 음식인지!
그래도 굳이 편을 가르자면 뿌리채소끼리, 잎채소끼리
어우러지도록 신경써주기 정도뿐.
그러니 손쉽게 채소를 많이 먹을 수 있도록
집밥이 되어주는 든든한 샐러드 레시피 몇 가지를 소개한다.

☑ **가지와 호박 샐러드**

☐ 가지와 호박을 잘 썰어 구운다.
☐ 양파를 곱게 썰어 씨겨자와 버무린다.
☐ 구운 가지와 호박 위에 양파와 씨겨자를 얹는다.

☑ **당근 샐러드**

☐ 당근은 채 썰어놓고 소금에 살짝 절인다.
☐ 당근에서 물이 나오면 꾸욱 짜준다.
☐ 거기에 식초, 소금, 올리브오일을 넣어 버무린다.
☐ 올리브도 썰어 올린다(없으면 만다).

☑ 오이 샐러드

- ☐ 두드린 오이를 가로썰기 한다.
- ☐ 식초와 소금, 다진 마늘을 넣고 잘 버무린다.
- ☐ 거기다 고추기름 좀 넣어주면 상큼하다.

☑ 보리 검은콩 샐러드

- ☐ 보리는 잘 불려 두 번 익힌다.
  한 번 익히고 뜸들인 뒤, 또 익혀서 완전 퍼트린다.
- ☐ 검은콩은 콩자반같이 집간장과 원당, 들기름 넣고
  삶으면서 졸여준다.
- ☐ 잘 익은 보리에 올리브오일과 소금을 넣는다.
- ☐ 콩 조림도 넣고 같이 섞어준다.
- ☐ 여기에 온갖 채소를 함께 곁들인다.

마지막 보리 검은콩 샐러드는 어머니의 회복식이었다.
채소도 많이 들어가고 콩과 보리가 듬뿍 있으니
든든하면서도 건강한 샐러드 레시피다.
샐러드 조합은 이렇게 맘대로 해도 된다.
추천하는 과일과 채소 조합으로는

배와 샐러리, 사과와 고구마가 있다.

가장 간단히 만들 수 있는 맛있는 샐러드 드레싱은

소금+레몬즙+올리브오일, 또는 레몬즙 대신 발사믹식초 살짝.

레몬즙과 발사믹식초가 없으면

매실청이나 오미자청, 오디청, 복분자청 뭐든 좋다.

그저 채소를 많이 먹을 수 있게

도와주는 맛이라면 다 환영!

나의
요리 선생님들

자연주의 밥상의 문성희 선생님에게서
채식 요리를 두어 차례 배운 적 있다.
건강을 잃은 분이나 건강을 유지하고 싶은 분들이
많이 배우러 가는 곳이다.
지금은 청도 수월리에서 외동딸과 사위와
음식 문화를 이어가신다.
특히 선생님이 개발하신 '약초 맛물'은
모든 음식의 베이스가 된다.
김칫국물을 포함해 각종 찌개 육수는 물론,
그냥 마시는 차로도 손색이 없는 만능 국물 베이스!
여덟 가지 약초가 들어가 은은하고 구수한 향이 난다.

이런 좋은 재료가 있으면
누구나 채식 요리를 쉽고 맛나게 할 수 있다.

고은정 선생님의 제철 요리 학교에서는
내가 좋아하는 '한솥밥'을 배웠다.
한솥밥이란 한 그릇 밥상이다.
한 그릇의 밥 속에 고기, 나물, 채소 같은 걸 넣는 레시피.

☑ **한솥밥**

☐ 쌀을 씻어 30분 동안 불린다.
☐ 물기를 빼고, 밥솥에 씻기 전 쌀과 동량의 물을 붓는다.
쌀이 한 컵이라면 물도 한 컵을 넣는 것.
☐ 버섯이나 나물류 등 원하는 채소를 적당히 밥 위에 얹는다.
☐ 그 위에 들기름과 집간장을 조금 두른다.
☐ 흰쌀밥 하듯이 밥을 짓는다.

너무 간단하잖나!
이렇게 간단한 선생님의 메뉴 조합은 끝도 없다.
콩나물 돼지고기밥, 해물 버섯밥, 냉이 조갯살밥….

연근과 돼지고기, 표고버섯도 서로 맛 조합이 좋고,
닭다리살과 마늘을 넣어도 맛나다.
두부를 넣으면 두부밥이 된다.
재료만 바꾸면 수도 없이 만들 수 있다.
거기에 양념장만 있으면 땡! 바로 일품요리가 된다.
선생님은 이 한 그릇 밥을
모든 사람들에게 알리고 싶다 하셨다.
그래서 전 국민이 밥해 먹는 날이 오기를 바라신다고.

재작년 3월, 선생님이 운영하시는 지리산 '맛있는 부엌'에서
장을 담그고 왔다.
맛있어져라, 맛있게 익어라 주문을 외웠다.
집에 와서 4월장도 담갔는데
주문이 먹혔는지 맛있게 잘 익었다.
요리교실에서는 어찌 그리 많은 것을
하루 안에 가르치고 배우고 하는지 신기할 따름이었다.
'세상 도처 유고수'라 했던가.
하긴 모든 엄마들은 집밥의 고수다.
각 집마다 해 먹는 음식의 가짓수를 모아놓으면
대한민국을 다 덮을 정도가 되겠다.

어차피 요리교실에서 배운 대로 하는 건 거의 없다.

늘 재료와 양념만 눈여겨보고

집에서는 내 식대로 만들어 먹으니까.

내가 안 쓰는 양념들 빼고 내 입에 맞게 하는 게 좋다.

그래서 내 멋대로 레시피가 나오는 거다.

결국 각자가 멋대로 맛대로 제 집에서 해 먹으니

그 이름이 '집밥'인 셈이다.

팥으로 메주를 쑨다고?
— 쑤지, 그럼!

장을 보러 가는 일은 나의 즐거운 소일거리다.
그중에서도 재래시장에 가는 것이 즐겁고,
농부들이 농산물을 직접 들고나와 파는 시장도 즐겁다.
서울에서는 농부시장 '마르쉐'와 얼장, 리버마켓 등등
여기저기 시간 나는 대로 다니며 장을 봤다.
지금은 앉아서 농부들과 직거래하는 경지에 올랐기에
장터를 찾아다니지는 않는다.
해산물이나 육류, 채소와 과일, 곡물까지 뭐든
필요한 건 다 주문해서 먹을 수 있는 세상이
이런 점에서는 반갑다.

10년도 더 된 듯싶다. 얼장에서 만난 팥장을 잊을 수 없다.
애초에 '팥장'이라는 말을 그때 태어나 처음 들어봤다.
너무 신기해서 곧장 사다가 찌개를 끓여봤다.
된장과는 다른 부드러움이 있었고
무엇보다 우리의 고정관념을 깨는 장이라 마음에 쏙 들었다.
예부터 콩 농사가 안 된 해에는 팥으로 장을 담그도록
나라에서 권장했었다고 한다.
홍주 발효식품의 이경자 대표가 고서를 보고 연구하고
거듭 시험해서 끝내 완벽히 재현해낸 식품이었다.

그뒤로 지금까지 이경자 대표와 인연을 이어오고 있다.
메주도 여기 것을 사용하고, 고추장도 재료를 받아다 담그며
음식으로 끈끈히 연결된 사이다.
서리태나 청태로도 장을 담그고
도토리로 만드는 상실장이나 더덕도라지장 등
어디서도 들어보지 못한 발효장을 여러 가지 만든다.

이런 장인들은 꼭 오래오래 건강하게
그 자리를 지켜주셨으면 좋겠다.
대를 이어가면 더할 나위 없겠고!
모두가 믿고 살 수 있는 먹거리를
손수 농사짓고 개발하는 분들, 모두 건강히 흥하시라!

메이드 인 코리아!
가재도구 삼총사

우리집 부엌에는 주방 세제가 없다.
예고은 삼베 수세미를 만나면서 세제를 안 쓴 지 오래됐다.
설거지를 하고 아무리 잘 헹구어도 요리를 할 때면
냄비나 팬에서 올라오는 오묘한 세제 냄새가 너무 싫었다.
무엇보다 그걸 헹궈낸다고 물을 너무 많이 쓰게 되는 것도
내심 불편하던 차에 삼베 수세미를 만났다.
그리고 설거지의 새로운 세계가 열렸다.

더운물에 삼베 수세미면,
삼겹살 구운 팬이라도 잘 닦이는 게 신기하고 좋아서
무지하게 사다가 여기저기 나누어주었다.

지인들에게도 널리 알리느라 한동안 참 바빴다.
처음에는 미심쩍어하며 잘 모르겠다던 사람들도
한번 써보고는 깜짝 놀란다.
그래서 우리집 부엌에는 이 낡고 낡은 삼베 수세미와 새것이
늘 함께 두둑이 준비되어 있다.
다 쓰고 버리면 다시 자연으로 돌아가기까지 하니
만듦새가 처음부터 끝까지 친환경 그 자체다.

순천만 싸리비도 있다.
습지에서 자란 싸리로 만들어진 빗자루는
마르고 닳도록 써도 자기 구실을 톡톡히 한다.
현관용 싸리비, 실내용 싸리비 따로 준비해서 쓴다.
잘 쓸리는데 먼지도 일으키지 않는다!
늘 청소기를 돌리지만 그 개운함이 때로는
빗자루질에서 오는 상쾌함에 비할 바 아니다.
특히 청소기가 안 들어가는 곳은
빗자루를 쑤욱 집어넣어 한번 지나가게 하면
숨어 있던 먼지도 다 불러낸다.

기분 좋은 강화 소창 행주도 있다.
어디서든 만나면 무조건 사서 쟁여둔다.
먼지 없는 소창 순면이니,

호흡기 안 좋은 사람에게는 얼마나 좋겠는가.
쓰고 폭폭 삶아 뽀얗게 말려서 개어두면
부잣집 마나님이 된 듯 뿌듯하다.
(사실 행주에 좀 욕심이 많다.)
예전엔 아기 기저귀며 우리들의 생리대며 행주며
소창을 큰 시장에서 끊어다 집에서 박아서 만들어 쓰곤 했다.
이제는 인터넷으로 구매가 가능하니
얼마든지 사서 맘껏 쓸 수 있게 됐다.
입소문을 타며 인기를 끌더니
요즘은 여기저기 만드는 곳도 늘어나 사기도 수월해졌다.
수건, 베갯잇도 있어서 사람들에게 적극 권하고 싶다.
빨아 쓰면 쓸수록 분명 '좋다! 잘 샀다!' 하게 될 거다.

이렇게 우리 고유의 재료로 만들어진 도구들은
우리나라 생활 방식에 딱 맞아떨어지니
집안일을 도와주는 일등공신들이다.
오래오래 사라지지 않고 만들어지면 좋겠다.

한끼를 책임지는
장김치와 반찬 요리

우리 덩이들은 밑반찬을 잘 안 먹는다.
집에서 차려 먹는 식탁을 보면
밥과 국물, 한두 가지 음식을 만들어 먹을 뿐
(나는 국물이 없어도 밥을 먹지만 덩이들은 아니다)
김치를 제외하면 장아찌 종류를 포함해
밑반찬을 별로 안 좋아한다.

한때는 온갖 채소와 나물로 각종 장아찌를 많이도 담갔다.
내가 좋아서 하는 일이니 부지런히 만들어놓기는 하는데,
반찬통을 끝까지 비워본 적이 거의 없다.
하다못해 묵은지를 지질 때 얼려놓은 장아찌를 넣어보고,

그러다 지쳐 남에게 다 주어도 보고,
나중에 다시 먹을까 싶어 냉동 보관까지 했으나 결국.
지금은 마늘, 마늘종, 양파 정도만 먹는 편이고,
그 외에는 조금만 만들어야 겨우 다 먹는다.
흔히들 누구나 좋아한다는 밑반찬 메뉴도 마찬가지다.
우리가 좋아하는 반찬 요리는 따로 있다.
멸치도 볶음보다 무침을 좋아하고,
연근도 조림보다 삶아서 아삭하게 무쳐 먹는 것을 좋아한다.
특히 '장김치'는 담가놓으면 채소를 원하는 대로
이것저것 첨가해서 어떻게든 반찬으로 쓰인다.

장김치란 문성희 선생님의 레시피로,
집간장과 현미식초, 원당을 1:1:1 비율로 섞고 끓인 것을
한 김 식힌 뒤에 각종 채소, 배추나 무에 부어 담그는 요리다.
무척 간단히 맛난 장김치나 채소절임이 완성된다.
혼자 간단하게 끼니를 해결해야 하는데
무언가를 할 여력은 없을 때 또는 입맛이 없을 때,
장에 절인 배추와 무는 물론이요,
함께 곁들여진 이 때깔 좋은 채소들은
냉장고 속에서 집밥 요정 역할을 톡톡히 해낸다.
식탁에 올려놓고 밥과 함께 먹으면
다 반찬이 되는 것이 한국인의 식탁이다.

하지만 그중에서도 밥이 되는 반찬 요리가 있다.
소화도 잘 되고, 식감과 포만감도 좋은 양배추 요리다.

☑ **된장 양배추찜**

- ☐ 각자 좋아하는 견과류를 적당히 부순다.
- ☐ 된장에 넣고, 매실청과 들기름을 약간씩 넣는다.
- ☐ 쪄둔 양배추와 이 된장 소스로 쌈을 만든다.

☑ **양배추 채전**

- ☐ 달걀을 넉넉하게 푼다.
- ☐ 그보다 더 넉넉한 양으로 양배추를 채 썰어 준비한다.
- ☐ 달걀물에 채 썬 양배추를 넣고 팬에 지진다.

☑ **양배추 롤**

- ☐ 양배추는 이파리가 훌렁훌렁 떨어질 때까지 데친다.
- ☐ 다진 고기를 준비하고, 양파와 파, 마늘을 다진다.
- ☐ 위 재료들을 버무리고 소금, 후추로 간을 한다.
- ☐ 데친 양배추를 만두피처럼 사용해 속재료를 싸서 찐다.

☑ **양배추 베이컨찜**

- ☐ 양배추를 찐다.
- ☐ 익은 양배추 한 장, 그 위에 베이컨 한 장,
  이렇게 켜켜이 쌓는다.
- ☐ 쌓을 수 있을 만큼 쌓아 찐다.

양배추 하나로도 한끼 식사를 책임질
근사한 반찬 요리를 다양하게 만들 수 있다.
두툼한 두께의 양배추를 굽기가 어렵다면
소금과 후추 또는 허브 소금으로 미리 밑간을 해주고
약불에 천천히 구우면 된다.

새로 발견한 맛과
기억을 품은 맛

늙으면 절로 먹게 되고 찾게 되는 것이 있다.
가지, 토란, 마, 미나리, 방앗잎, 고수가 그렇다.
어렸을 때는 물컹한 가지가 맛있다는 어른들이 이상했다.
토란이나 마를 좋아라 드시고 있으면
그걸 눈살 찌푸리며 보았다.
그런데 그 맛이, 질감이 아무렇지도 않아지더니
심지어 좋아하게 되었다. 이건 나이가 들었단 얘기다.
향이 짙은 미나리나 방앗잎, 고수도
분명 그 향을 못 견뎌했는데 어느 날부턴가 찾게 되었다.
입에 들어가면 더 맛나다 느끼기 시작했으니,
이도 역시 나이가 들었다는 얘기.

입맛은 유전일까, 속에 잠자고 있다가 깨어나는 걸까?
우리 식구들은 추석 때가 되면
토란탕을 진하게 한솥 끓여먹는 걸 좋아한다.
토란 조림도 제법 해 먹는 편이다.
내 나이 마흔 무렵부터 외할머니의 토란탕이 먹고 싶어져서,
한번 해봐야겠다는 생각이 들었다.
가만가만 맛을 기억하며 끓였는데 성공했다!
그래서 지금껏 거의 해마다 스스로 토란탕 당번을 자처하며
모든 식구들과 함께 끓여먹고 있다.
토란 빼고 달라던 우리 덩이들도
토란탕에 토란을 쏙쏙 골라먹을 만큼 좋아하게 되었다.
너희도 나이가 들었구나.

반면에 더는 안 먹고 싶은 음식이 있을까.
잠시 생각해봤는데 글쎄,
질리도록 먹어본 음식은 딱히 없지만…
옛 기억을 불러일으키는 것들은 있다.
청국장과 미역귀.
우리집이 풍비박산 났을 때,
도우미 아주머니가 청국장을 띄워
거기에 넓적한 무김치만 넣은 걸 매일 끓여주시곤 했다.
나름 절약정신을 발휘해주신 거다.

그걸 몇 날 며칠, 몇 달을 먹었더니 그 향이 지겨워서
청국장을 한동안 못 먹던 때가 있었다.
하지만 지금은 또 잘 먹는다.
다만 그 음식을 볼 때마다 그 시절이 떠오르긴 한다.

열일곱 살에 갑자기 부엌일을 시작하게 되었을 무렵,
된장찌개, 무 생채, 미역귀 고추장찌개가
내가 할 줄 아는 요리의 전부였다.
그때의 찌개는 된장, 멸치, 호박, 두부
또는 고추장, 멸치, 미역귀, 양파를 넣고
그냥 와글와글 끓이는 게 다였다.

요즘 시장에 나가보면 미역귀가 건강에 좋다고
아삭하게 잘 말린 것을 간식으로 판다.
그걸 보니 부엌에서 허둥거리는 그때의 내가 떠올랐다.
사다가 간식으로 먹었다. 찌개는 안 끓였다.
누구는 배고프던 시절 365일 해 먹던 수제비가 생각나서
가끔 해 먹는다는데 난 그렇게 되지는 않는다.

두 아들의 살림 놀이

아들만 둘인 내가 죽어라 집밥 만들어 먹이는 걸 보고
친구가 한마디했다.

"걔들 장가갈 때 되면
그 짝꿍들은 밥도 할 줄 모르는 여자일 텐데,
어떻게 하려고 그래? 대충 해 먹여 버릇해야 해."

내가 큰애에게 이 얘길 전했다.
그랬더니 단번에 답이 돌아왔다.

"괜찮아, 우리가 해 먹음 되지."

그렇지! 바로 그거야!
어려서부터 부엌에 들어가는 습관을 길러줘야 한다.
우리 애들은 유치원 때부터 토스터에 빵을 굽고
스스로 아침을 해결할 때도 있었다.
마늘도 같이 까고, 송편도 빚고, 만두도 빚으며
요리를 재미로 삼아 지난한 시간을 보내게 했다.
그렇게 부엌과 가깝게 지내서
지금도 요리나 설거지는 곧잘 하고 산다.

중고등학생 때 집에 오면 도시락통을 씻어 엎어놓게 했고,
주말에 스스로 교복을 세탁기로 돌리도록 훈련시켰다.
덕분에 살림남으로 자라 둘 다 집 떠나 캐나다에 살 때도
아쉬움 없이 때마다 모여 계절에 맞는 음식을 만들고는
나에게 자랑하듯 사진을 찍어 보냈다.
그게 어찌나 큰 안심이 되던지.

작은애가 캐나다에서 짝을 만나 결혼하겠다고
우리집에 인사를 와서 잠시 지내는 동안,
그때까지는 직접 밥을 해본 적 없던 며느리가
먹는 즐거움을 느끼고 요리에 호기심을 갖더니
점차 집밥하는 엄마로 바뀌었다. 지금도 기특하고 고맙다.
아이들에게 따듯한 밥을 지어서

맛난 반찬과 함께 잘 먹이며 키우는 멋진 며느리다.
신기하게도 내 입맛이나 손맛과 거의 비슷해서
작은아들과 먹는 것으로 합이 잘 맞아
별문제 없이 지낸다니 이 또한 아들의 복이려니 한다.

집밥은 스스로를 위하는 일!

뭐라도 만들어 둘러앉아 밥을 먹는 집은
건강한 가정이다.
먹으며 얘기도 나누고 잔소리도 늘어놓고,
이른바 '밥상머리 교육'도 해나가는 가정.

해가 뉘엿뉘엿 지는 시간대에 나서는 산책길,
집집마다 풍겨오는 음식 냄새는 가히 예술이다.
찌개 냄새, 구이 냄새.
이 집은 오늘 저녁 된장찌개구나,
저 집은 생선구이구나, 요 집은 고기구이구나.
그런 냄새를 맡고 있으면 마음이 놓인다.

화평하고 안온한 식구의 모습을 그려보며 기분이 좋아진다.

혼밥 인구가 점점 늘고 있다.
여기에는 연세가 있는 분들도 많다.
젊은이들은 할 줄 몰라서,
나이드신 분들은 귀찮아서 해 먹기를 싫어한다.
이런 면에서 시골 노인정 문화가 참 좋다.
모여서 함께 밥을 드실 수 있으니.
그래도 요즘은 다양한 방법으로 혼밥족들도 일주일에 한 번,
한 가지 음식 정도는 해서
함께 모여 먹는 모임들을 가진다고 한다.
듣기만 해도 마음이 놓이는 소식이다.

부엌 놀이는 매일 해야 한다. 밥 먹듯, 잠자듯, 세수하듯.
안 그러면 금방 잊어버리고 하기 싫어지기 때문이다.
음식을 해서 먹는다는 것은,
'믿을 것은 이 몸뚱아리 하나'인 내가 나를 위해
스스로 몸을 움직여 할 수 있는 최소한의 서비스다.

밥 짓기를 시작으로 반찬 하나, 찌개나 국 하나.
그러면서 차츰 나를 위해, 내 몸을 위해 뭔가를 만들어내면
삶이 단순해지고 잘 살고 있는 것 같고,

스스로가 딴딴해지는 느낌도 든다.
그러다보면 성취감과 도전 정신도 생긴다.
내가 나를 일으키는 것이다.

사부작사부작거리며 집밥을 해 먹기 시작하면
바깥 밥을 못 먹게 되는 날이 온다.
콩나물 무침 하나, 무 생채 하나
이렇게 해 먹는 음식 가짓수를 늘리자.
일주일에 한 번 하다 두 번, 세 번… 매일 하게 되면
요리는 저절로 늘게 된다.
그럼 누군가를 불러 같이 먹고 싶어지게 된다.
그렇게 사람과 사람이 모여 살게 되는 거다.

비단 젊은 사람들에게만 들려주고 싶은 얘기가 아니다.
요리는 노인들의 정신건강에도 좋다.
그러니 어르신들에게도,
내 몸 움직일 수 있을 때 부지런히 집밥을 해 드시라 권한다.
나야 단골집이 아닌 곳에서 밥을 먹으면 속이 편치 않아
바깥 밥을 원체 잘 못 먹으니,
그저 나를 위해서 죽으나 사나 밥을 해 먹는 것이지만
결론적으로는 남들과 같은 효과를 얻는다.
'내가 나를 위해 해주는 일'이라는 효과!

내 몸을 내가 위해줘야지 않겠나?
늘 마음 다독이고 스스로 칭찬하고,
나에게 맛난 거 만들어주는 것.
어른이 된 순간부터는 이게 제일 중요하고
가장 먼저 스스로에게 해줘야 하는 일이겠다.

집밥을 먹을 때면 나에게 하루 한끼 집밥은
삶의 전부라는 생각이 든다.
삶의 '기본', '원동력', 너무 거창한가?
하지만 한끼 이상 외식을 하면 내 뱃속은 난리가 난다.
몸은 또 너무 솔직하게 살이 붙는다.
찌는 게 아니라 떡떡 붙는다.
그래서 너무 힘들어도 살아야 하니까
나는 오늘도 부엌 놀이를 한다.
건강해야 뭐든 할 수 있다.
내게 늙어서 목표가 있다면 그저 '집밥 계속 해 먹기'다.
내 머릿속 호두알이 작아지기 전까지는
정신 차리고 꼬박 밥해 먹어야지!

4부

또 만나요

끊임없이 배워서 남 주고,
있는 걸 나누고 싶다.
덤으로 사는 나이는
그렇게 살아야 한다고 생각한다.
'인생 칠십, 강건하면 팔십'이라 했다.
칠십부터는 덤이겠다.
마구 나누자! 나눠서 다 쓰고 가자!

잘 죽기 위한
준비 기간

한번 다친 내 허리는 첫애 낳고부터
연중행사로 아프다가 사십대부터 계간행사가 되었다.
그리고 어느 날부터는 매일 허리통증에 시달렸다.
그러다 작은애가 밴쿠버에 살 때,
거기에 가서 집안일을 하다가 허리가 나갔다.
다행히 그곳에서 카이로프랙틱 선생님을 찾아가
치료를 받고 누워서 쉬고 있는데,
막둥이가 나를 일으켜 세우며 말했다.

"엄마, 우리니까 엄마를 일으켜 세우지.
다른 사람들은 못해."

눈앞이 노래졌다.
아, 내가 늙어서 쓰러지면 큰일나겠다 싶었다.
그때부터 본격적으로 건강관리에 신경썼다.
근력운동과 걷기 등으로 꾸준히 허리를 단련하고
식사는 하루에 한끼 반씩만,
점심을 한끼 먹고 저녁은 반만 먹으면서 살을 뺐다.

근데 작년에 작은애가 잠시 캐나다에 갔다가 돌아와서는
저녁을 매일 먹으니까 체중이 4킬로그램이 는 거다.
우리집 식구들은 조금만 먹어도 엄청 찌는 체질이다.
그래서 이제는 하루에 한끼로 식사조절을 늘 하며 지낸다.
그렇게 육십대 중반부터는 내 삶을 정리하고
죽음을 준비해야겠다고 생각했다.
잘 죽어야 하니까. 자식들한테 폐 끼치고 싶지 않아서.
칠십대부터는 덤으로 사는 나이다.
그래서 끊임없이 배워서 남 주고, 있는 걸 나누고 싶다.
덤으로 사는 나이는 그렇게 살아야 한다고 생각한다.

외국의 어느 수녀님이 102세에 돌아가셨다.
그리고 해부를 해보니, 치매로 뇌가 다 쪼그라든 상태였다.
근데 주변에서 아무도 그걸 몰랐단다.
365일 웃고, 남을 위해 봉사하고, 노래 부르고 찬송하는 게 그분의 일이었으니까.
내가 만약에 칠십을 넘겨서 산다면
그런 삶을 살아야겠다고 생각했다.
그러려면 건강을 유지해야 하는 거다.
나는 어렸을 때부터 병약했고 수술도 여러 번 했기 때문에
남들보다 몇 배는 더 신경을 써야 한다.

'사는 동안 잘 살자.
배워서 남 주자. 가진 거 퍼주자.
그렇게 살다가 잘 죽자.'

뭐든 알고 있는 것을 잘 모르는 사람에게 가르쳐주고,
내가 조금 더 갖고 있는 것을 나누며 사는 것!
요즘 주문처럼 외우고 산다.
될지 안 될지는 모르지만 내 자신에게 끊임없이 세뇌한다.
쭈욱 실천하기 위해서는 첫걸음부터.
작게라도 한 번 하고 나면 내 맘에 기쁨이 커지고,
한 번이 여러 번으로 이어진다.

헉! 그런데 잘 죽기 위한 준비 기간,
육십도 다 지나가버렸네.
뭘 준비했는지 새삼 돌아보니 아무것도 안 하고 있었잖아!

훅 와버린 칠십!

양희경! 너, 할 수 있겠니?

가슴에 바르는 옥도정기

요즘 사람들도 '옥도정기沃度丁幾'를 알까?
우리 어려서는 '아카징키'라고 부르며
만능 약으로 쓰였다.
이렇게 말하면 알 거다. 바로 '빨간 약'!
(사실 이 둘은 성분이 다른 의약품이지만,
흔히들 혼용해 잘못 불렀다.)

옛날엔 상처 난 곳에 빨갛게 또는 적갈색 칠을 해주면
그냥 다 낫는 줄 알고 사용했던 약이다.
근데 이 약을 옷 위에 바르며 연기하는 배우가 있었다.
'아무 생각 없는 얼굴로 같은 동작을 반복하는 엄마를

이상하게 보다가 부둥켜안고 우는 딸!'
치매 걸린 엄마를 극명하게 보여주는 가슴 아픈 표현이었다.
무슨 말이 더 필요할까!
나도 가끔 이 옥도정기의 마력을 믿고 싶을 때가 있다.
48년 전 고장난 허리, 지난해 내내 아팠던 무릎.
옥도정기를 바르면 나았을까?
누구나 살면서 가슴 미어지는 일이 왜 없겠는가.
나는 그럴 때마다 아픈 가슴에
옥도정기를 한번 발라보고 싶은 생각이 들었다.
바르면 나을지도 모르니까.

주변 지인들이 무탈하게, 심심하게 지내고 있다는 소식이
그리 고마울 수가 없다.
요즘 같을 때 아팠던 사람이 일순간 위독해졌다가
죽음의 문턱에서 돌아온 이야기는 최고 무용담으로 들린다.
무사히 돌아와주어 고맙다는 인사와
어화둥둥 업어주고 싶은 마음이 굴뚝같다.

잘 사는 삶이란 무얼까, 어떻게 사는 걸까?
고민은 점점 단순한 생각으로 결론 내려진다.
그날이 그날이고, 딱히 얘기할 것 없는 평범한 삶이
사실은 가장 좋은 삶 아닐까?

객사할 뻔했던 엄마

94세 나의 어머니 윤순모 여사는 딸 셋보다 건강하시다.
잘 잡수고 잘 주무시고, 하고 싶은 거 다 하고 사신다.
늘 끊임없이 손으로 꼼지락 뭔가를 만들고
그림을 그리러 다니신다.
언제든 잡수고 싶은 게 많으시니
엄마는 100세를 너끈히 넘기실 듯하다는 게 딸들의 얘기다.
그렇다고 엄마가 항상 건강하기만 했던 것은 아니다.
앞서 잠시 말했던 '죽음의 문턱' 이야기다.

중학교 졸업 때 해방을 맞은 엄마는
지금도 일본어 쓰기, 읽기, 듣기를 편안해하신다.

'언어 교육은 조기 교육!'이 딱 맞는 경우겠다.
그래서일까 연로하여 위험하다는 반대에도
자꾸 일본에 다시 한번쯤 가보고 싶다 하셨다.
결국 우리 세 자매와 조카 딸, 모녀 삼대는
엄마의 소원을 들어드리려고 과감히 일본으로 떠났다.

근데 출국하기 전 딸들 몰래 친구 만나러 외출하셨다가
엄마가 그만 감기에 걸리고 말았다.
문제는 같이 살던 내게도 그걸 숨기고 출국하려 하셨던 거다.
가는 날에서야 알았다.
집에 계시라 해야 하나. 머릿속이 복잡했다.
'열흘 전부터 짐을 쌌다 풀었다 하셨는데…
뭐, 별일이야 있겠어?' 했는데,
이 별이 아주 큰 별로 나타났다.

엄마는 감기 증상으로 일본에서 제대로 다니시지 못했다.
그러다 2박 3일 만에 심각한 호흡장애로 악화되더니
일본의 어느 역에서 심정지가 일어났다.
죽음의 문턱을 넘나드는 그 순간을 언니 혼자 겪었다.
나는 이미 앞차로 조카와 공항으로 이동했고,
동생은 바로 우리를 뒤따라왔기 때문에
숨이 멈추는 엄마를 언니 혼자 지켜보게 된 거였다.

급하게 공항에서 병원으로 달려갔다.

살 운명이었는지 차로 5분 거리에 대학병원이 있었고,
구사일생 13일 만에 살아서 귀국하셨다.
고혈압, 당뇨, 고지혈증, 십 원어치 치매로
각종 약을 드시고 계셨지만 심장에 문제가 있다는 건
그 병원 응급실에 실려가서야 알게 됐다.
어머니는 일본 병원에서 철저한 건강 식단을 드시며
빠르게 회복하셨고 마지막 검사 후,
비행기 타도 된다는 의사의 허락을 받아
당당히 귀국하시고는 1년 4개월을 나와 지내셨다.

나는 어머니를 모시고 사는 내내
일본에서 드신 병원식을 그대로 해드렸다.
내가 지킨 병원식의 기본은 무당, 무염, 무유였다.
과일은 하루에 사과 1/4개, 딸기 2알.
그랬더니 3개월 만에 모든 게 정상으로 바뀌었다.
피가 맑아지니 고혈압, 당뇨뿐 아니라 치매도 나아졌다.
먹는 게 건강 유지에 젤 중요하다 부르짖었던
나의 생각은 더욱 확고하게 굳어졌고,
이렇게나 건강에 신경쓰며 먹을 것을 철저히 챙기는
세상 피곤한 잔소리꾼이 됐다.

건강을 회복하신 후 어머니는 다시 언니 집으로 가셨고
나의 잔소리를 피해 지금까지 맘껏 살고 계신다.
옷도 만들고 그림도 그리고 뜨개질도 하며 사신다.
손을 끊임없이 놀리시니 치매가 더 깊어지지 않는 것 같다.
11년째 십 원어치 치매를 유지하고 계시는 엄마.
모든 병에 중요한 것은 음식이고 그다음은 환경이다.
'음식으로 못 고치는 병은 없다!'라는 말이 뼛속에 새겨졌다.

행복도
불행도 찰나

행복이라는 건 찰나다. 불행도 마찬가지다.

느껴지는 게 다를 뿐이다.

사람은 누구나 행복한 순간을 고맙게 느끼지 않고,

불행만을 붙잡고는 지겹다고 한다.

그러면 행복할 일이 없겠지.

소소한 일이 모여서 큰 행복을 만드는 건데,

그걸 잘 못 느낀다. 나부터도 그렇다.

그런데 우리에게 '현재'가 있나?

찰나, 순간, 지금이라 생각해봤자

모든 시간은 바로 과거가 돼버리는데….

현재는 잠시도 머물러주거나 기다려주지 않는다.
야속하고 매정하게 계속 사라지기만 한다.
우리에게는 사실 미래와 과거만 있는 것이다.
아무리 현재에 충실하자고 해도 현재는 붙잡을 수 없다.
그래서 그때그때 뭘 느끼는지가 가장 중요하다.

오늘 가족 모두가 무사하다면
오늘 밥이 윤기 자르르하게 잘되면
식구들 모여 밥 맛있게 먹었으면
오늘 보이차가 향 좋게 끓여졌다면
한 번이라도 소리 내 웃었다면 거기서 행복을 찾는 것처럼.
세상에 나 정도는 별것 아닌, 더 가슴 아픈 사연도 많지만
나름대로 산전수전, 공중전, 지하전까지 겪으며 느낀 거다.
조금이라도 더 나아지면 좋겠다고 생각하며
무엇이든 배워야겠다는 결심을 하면,
옛날보다는 한 가지를 더 할 수 있는 거니까 좋아진 거다.
그걸로 만족할 수 있다.

순간을 잘 느끼고 난 다음에는
그 짧은 순간들을 기억하는 훈련이 필요하다.
짧았던 순간들을 잘 붙잡아서 내 기억창고에 넣어놓았다가,
순간들을 한데 모아 꺼내어 연결하면

그 시간이 길어질 수 있다.
뭐든 한번에 크고 길게 오는 법은 없다.
우리가 그렇게 느낄 뿐이다.
슬픔과 아픔은 순간이어도 길게 늘어지는 듯하고
행복과 즐거움은 길어도 순식간에 녹아 사라지는 듯하다.
긴 시간 행복하려면 좋았던 찰나들을 붙여 오래 묶어두고
아팠던 시간들은 건망증에 실어 보내야 한다.
언제나 많이 웃으며 순간을 보내주기,
그리고 지금 지나가는 순간에 감사하기!
이 감사함 없이는 우리가 잘 살아지지 않는다는 걸
늘 잊지 말자.

가만히 생각해보면 지금껏 살아오면서
오롯이 내 힘만으로 된 것이 하나도 없었다.
나를 이끌어주고 보듬어주고 채찍질해준
무수히 많은 순간들의 손길을 느끼며 살아왔다.
난 사실 걱정이 넘치고 늘 불안함 속에서 살아간다.
내 별명이 '걱정 엄마'다.
그간 TV에서 배우 양희경은
시끄럽고 문제 일으키는 배역을 맡아왔지만,
실제의 나는 주로 소심하고 심약하다.
겁 많은 개가 큰 소리로 짖는다고 했던가.

세상을 향해 겁나고 두려울 땐 어김없이 큰소리를 냈었다.

그럼에도 삶을 살고 있는 게 감사하다.
나보다 못한 처지에 놓인 이들을 생각하면
주워진 모든 것들이 넘침에 늘 감사하기 마련이다.
중요한 것은, 무엇보다 시간은 어김없이 흐른다는 것.
시간이 흐르니 산다.
멈춰 있다면 누구나 힘겨워 못 살 거다.
흐르는 시간이 최고의 명약이다. 고맙다.

진짜 홍쟁이
양희경

나의 외할머니 권동그리 여사님은
음식 솜씨, 바느질 솜씨에 흥까지 넘치셨다.
재능이 많은 엄마를 외할아버지로부터 늘 보호해주시고
응원해주셨던 이유가 딸의 그런 모든 것들이
당신 책임이라는 걸 아셨기 때문이리라.
외할머니의 솜씨와 끼와 흥은
우리 자식들과 내 손주들에게도 이어졌는데,
이런 나의 DNA가 너무 좋다.

"내 피에는 소금이 흐르고 있다.
소금이 한번 들어가면 바다를 벗어날 수 없다."

EBS 〈세계 테마 기행〉에 등장한 크로아티아 어부의 말이다.
내 가슴을 진하게 울려서 여태껏 기억하고 있다.
이 말을 나에게 적용하자면 이렇겠다.

"내 피에는 딴따라 흥쟁이의 피가 흐르고 있다.
이것은 내가 죽어야 사라지는 것.
내가 살아 있는 한 무대와 연기에 대한 애정이
사라질 수 없다."

나의 흥은 아들 둘에게 물려준 재산이다!
실제로 나는 이 유전자를 물려받음으로써
지금껏 흥겹게 일하면서 돈을 벌며 살고 있지 않는가?
이보다 더 좋은 일이 있을까.
재능을 살려 사는 삶이 얼마나 축복인지!
즐겁게 할 수 있고 남들보다 잘할 수 있고
그걸로 돈까지 번다면 그게 곧 최고의 삶이다.

사실 우리는 자기에게 주어진 능력을 알고 살기 어렵다.
뛰어난 부모는 아이의 재능을 일찍 찾아내고
밀어주는 부모일 거다.
하지만 이런 부모도 드물고 아이들과 호흡을 맞춰
성공으로 이끌기도 힘들다.

그럼에도 늦게나마
내 안에 빛나는 보석을 발견해 발전시킬 수 있다면,
쉽지는 않겠지만 그때가 언제가 되었든 해나갈 가치가 있다.

얼마 전 작은애가 대본을 보며 진행하는 리딩 공연을 위해
하루 6~8시간씩 죽어라 소리지르며 연습을 다녔다.
그러니 집에 돌아오면 애가 힘들어 죽기 직전까지 이른다.
그런데 얼굴에서 빛이 나는 거다.
그래, 그게 행복한 거지 싶었다.
돈을 못 벌어도 자기가 좋아하는 걸 만났으니까 됐다.

사람마다 자기 흥이 어디에 있는지를 찾아야 한다.
영혼이 반짝이는 '신명 나는' 것을!
어떤 사람은 장을 보면서 카타르시스를 느끼고,
어떤 사람은 걸으면서 카타르시르를 느끼기도 한다.
내가 뭘 할 때 가장 좋았던가를 떠올려봐야 한다.
흥이라고 해서,
항상 떠들썩하게 웃고 북적북적한 것만은 아닐 거다.
TV를 보다가 너무 공감하고 슬퍼서
'저 사람도 나랑 똑같은 아픔이 있구나' 하면서
우는 것도 흥이다. 내가 내 자신을 위로하는 거니까.
눈물이든 웃음이든 마음껏 분출하고 발산해야 한다.

그게 카타르시스를 느끼고 흥을 내뿜는 거다.
흥은 매번 매순간 저절로 오기도 하지만
마음먹기에 따라 오기도 하고 사라지기도 한다.

나는 요리를 정식으로 배운 적도 없고
어쩌다 한두 번 가서 배워도
늘 배운 대로 안 하고 내 멋대로 하는 식인데,
음식을 머릿속에 떠올리고 재료를 쓱쓱 손질해서
내가 생각했던 그 맛이 딱 나오면 그렇게 기쁠 수가 없다.
배우로서 작품 속 인물이 내 머릿속 그림과 딱 만날 때,
그때도 카타르시스를 느낀다.
요즘은 내비게이션이 길을 다 알려주지만
운전하면서 모르는 길을 내 감으로 제대로 찾아갈 때도
기쁨이 솟는다.

모두가 일을 하면서, 일상을 살아가면서
다가오는 흥을 놓치지 않고 느끼며 살면 좋겠다.
삶이 흥겨워지는 아주 단순한 비결이다.

시원하고 달큰한 맛이 일품:
대파 요리

☑ **대파 무국**

- □ 국거리용 고기를 사다 푹 끓이고 건져서 쭉쭉 찢는다.
- □ 마늘, 국간장 또는 간젓장, 들기름, 후추로 만든 양념장에 고기를 버무려놓는다.
- □ 대파는 3센티 길이로 썰고, 무는 납작 썰기.
- □ 들기름에 대파와 무를 넣고 다글다글 볶는다.
- □ 다 볶아지면 우린 고깃국물을 붓고 양념한 고깃살도 넣어 함께 포옥 끓인다.
- □ 기름에 고춧가루 넣고 약불에서 살살 볶는다.
- □ 국이 펄펄 끓으면 볶아진 고춧가루 넣고

한바탕 또 푸욱 끓여준다.

원래는 대파를 많이 먹지 않지만

제철의 맛이 담긴 대파 요리는 듬뿍듬뿍 먹을 수 있다.

☑ 불고기 대파 구이

- □ 소고기를 간장, 원당, 참기름, 마늘로 양념해준다.
- □ 배나 사과를 양파와 갈아서 양념한 고기에 더해준다.
- □ 대파도 3센티 길이로 썰어 같이 버무린다.
- □ 고기를 먼저 볶고, 그릇에 덜어놓는다.
- □ 대파도 따로 볶아 고기 옆에 담는다.

대파를 많이 준비해야 한다.

엄청 맛있는 대파를 먹게 되니까!

무려 고기를 밀어내게 하는 대파 요리다!

'희은이' 동생 희경이

어렸을 적 언니와 나를
늘 손님들 앞에 세워 공연을 시켰던 아버지 덕에
우리 둘은 집구석에서도 무대에 오르곤 했다.
언니는 언제나 서서 노래를 부르고
나는 언니의 양팔 사이로 내 팔을 쑥 내보내는 등
장난스러운 포즈를 취하며 놀았다.
부모님이 이혼하시고 새엄마와 살 때는
자매 셋이서 역할극을 하면서 서로 위로하고 치유하며 컸다.
언니가 가수로, 내가 배우로의 싹수가 보였다고나 할까.

사방팔방에 다 말해 이미 알지도 모르겠으나

나는 어릴 적부터 개구쟁이였던
양희은의 모르모트(실험용 설치류)였다.
언니는 잠자던 내 얼굴에 물감을 찍찍 뿌려놓고는,
서서히 물감이 마르면서 얼굴이 땅길 때 즈음
내가 얼굴을 부비며 깨어나면
뭐가 그렇게 좋은지 내 머리맡에서 깔깔거리며 웃었다.
덕분에 부상도 다채롭게 당했다.
학교에서 종이와 실로 전화기를 만들어와서는 실험한다고
그 목청 좋은 울림통으로 소리를 빽 지르는 바람에
내 귀청이 나가 고막 치료를 받으러 다닌 적도 있다.
발레리나처럼 서보라고 (자기는 안 하고) 나를 시켜서
발가락뼈가 똑 부러지기도 했다.
정동 MBC 옆에는 내 단골 접골원이 있을 정도다.

언니는 늘 손금에 때가 낄 정도로
나를 붙잡고 부지런히 놀러 다녔다.
여름에는 장구벌레가 모여 있는 웅덩이에
석유를 뿌려서 죽는 모습을 함께 구경하고,
남자애들과 나무 위에 올라가기도 했다.
그렇게 놀다가 나를 불쑥 다른 집에 맡겨놓고는
언니 혼자 돌아오기도 했는데
그럴 때면 언니는 엄마한테 죽도록 혼났다.

엄마가 회초리를 들면 바로 무릎을 꿇고
잘못했어요 어머니, 손을 싹싹 빌었단다.
반면 나를 혼낼 때는 내가 잘못했다는 말을 끝까지 안 해서
이러다 맞아 죽을까 싶어 회초리를 놓으셨단다.

내가 수도 없이 놀림을 당하면서도
끔찍하게 언니를 따라다녔던 건
그만큼 언니에게 의지하며 자랐기 때문이었을까.
나는 뭐든지 언니랑 상의하고 결정했다.
사실 언니는 내게 '언니'가 아니었다.
나가서 돈을 벌어 나를 가르치고 시집까지 보냈으니,
언니 동생이 아니라 부모 자식처럼 되어버린 거다.
생각해보면 이게 몹시 안타까운 관계다.
세상에서 가장 불행한 가족이
각자의 역할과 질서가 엉망인 가족이다.
부모에게는 부모의 역할이, 자식에게는 자식의 역할이,
형제자매 간에는 그 나름의 역할이 있다.
그런데 어느 한쪽이 제 역할을 못하면서
가족 간 질서가 무너지고 다른 질서가 만들어지는 것이,
가족이 각자의 위치에서 벗어나는 것이 참 불행한 일이다.
나는 부모가 되어야 했던 언니의 간섭이 너무 싫고 지겨웠다.
그래서 내 인생에 딱 한 번 하극상을 펼친 적도 있었다.

언니의 말에 내가 대들면서 생애 첫 몸싸움이 시작되었다.
결과는… 내가 언니의 엄지손가락을 덥석 잡았는데
그게 꺾이면서 언니의 부상으로 싸움은 막이 내렸다.
(그리고 얼마 못 가 다시 평정되었다.)

언니가 아직도 내게 큰 산이라는 건 분명하다.
우리는 가장 어려운 시절을 가장 가깝게 보낸 자매다.
언니도 그렇게 생각할지는 모르겠지만
서로에게 모스부호를 치는 야전병 동지나 다름없었다.
언니가 아버지 역할로 돈을 벌 때,
나는 엄마 역할로 되도 않는 음식과 집안일을 했으니.
이때부터 나의 부엌 생활이 시작된 거다.
여태껏 부엌을 못 벗어났으니
부엌 생활은 내게 운명인 거라고 생각한다.

칠순이 넘었지만 아직도 언니의 호기심 천국은
끝나지를 않는다. 매번 궁금증을 달고 산다.

"이거 뭐야? 어디서 샀어? 어디에 좋아? 말해봐."

언니와 반대로 나는 궁금한 게 별로 없다.
매일 이곳저곳 가보라고

언니가 시킨 탓에 알게 된 식당도 많다.
조금 번거롭긴 하지만 언니가 아니었으면
먹어보지 못할 음식들이었으니 고맙다.

나의 본적인 가회동 1번지는 삼청공원 바로 밑에 있다.
서울 사대문 안에 양반마을이었다는 가회동에 살았어도
삼청공원이 있었기에 늘 숲과 들, 냇가가 우리의 놀이터였다.
자연 속에 묻혀 살았다.
그곳 숲을 헤매고, 나무를 타고 놀았던 우리 언니 희은이.

내겐 큰 울타리, 비·눈·바람막이, 잘 사는 인생 선배.
세상만사 "그러라 그래"를 외치며
흔들림 없이 꿋꿋하게 살아온 언니.
자매여서 얼마나 고맙고 다행인지.
언니 만세!

희은이 동생 '희경이'

— 1952년 여름 태생 희은이
— 1954년 겨울 태생 희경이

언니와 난 2년 3개월 20일 차이다.
형만 한 아우 없다더니, 내가 아무리 부지런히 쫓아가도
정확히 2년 3개월 20일만큼 늦되고 처진다.
그러나 잠시 잠깐 '희경이 언니' 희은이었던 때가 있었다.
언니가 미국 남자(형부는 시민권자다)와 결혼을 하고
미국으로 가면서 연예계를 잠시 떠나
전업주부로 살던 시절의 이야기다.
잠시 귀국해 있던 언니가 방송국에 날 만나러 왔는데

그때 경비분들이 언니 앞을 막더란다.

"누구시냐? 무슨 일로 왔느냐?"
"내 동생 만나러 왔다."
"동생이 누구냐?"
"양희경이다."
"아! 그럼 들어가시라!"

내가 드라마와 라디오 진행을 하느라
매일 MBC에 출근했던 때 한 번 그랬다.
그때 빼고는 어려서부터 지금껏 쭈욱
'희은이 동생' 희경이로 자랐고 살았고 살고 있다.
사람들은 불편하지 않냐, 싫지 않냐 궁금해했지만
난 예나 지금이나 아무렇지 않다.
잘 살아온 언니, 세상을 먼저 살아내는 언니가 있으니
쉽게 그뒤를 따라 살았다고 생각한다.
든든하니 참 좋다. 엄마 아버지가 주신 젤 큰 선물.
그런 언니가 재작년에 책을 냈다.
『그러라 그래』 수필집은 대박이 났다.
출판사가 빌딩을 하나 샀을 정도라는데 정확한 건 모르겠고,
아무튼 지금도 꾸준히 잘나가고 있다.

언니가 책을 쓰던 비슷한 시기에
여러 사람들이 나에게도 인터넷에 올렸던 글들을 묶어
책을 내보라고 했다.
결정을 쉽사리 내리지 못하는 내 등을 친구들이 떠밀었다.
그 힘에 나를 실어 겁도 없이 글을 썼다.
그렇게 지나가는 말들을 붙잡았고, 붙잡혔다.
아마추어여서 좋았는데, 나만 즐기면 되니까….
하긴 글을 썼다고 다 프로가 되진 않으니깐 괜찮으려나.
그리고 언니가 책 내고 히트 쳤으니,
나도?

아니, 아니!
아니다!!

사실 우리 둘은 동시에 책을 내기 위해 글을 쓰고 있었다.
다만 언니가 세상에 먼저 태어나듯,
언니 책이 내 책보다 먼저 나왔을 뿐이다.
그런데 이 책이 나오자마자 대히트를 치니
뒤따라 책을 내기가 괜히 어려웠다. 일단 멈췄다.
주춤주춤 일 년 이 년이 넘어갔다.

다시 나만 보는 노트 속에 가둘까?

식구들과 지인들과 나눠 보고 말까?

미루고 미루다 다시 연필을 깎고 손목에 힘주고 썼다.

언니와 내가 다르니 글도 다를 터.

이런저런 이유로 생각을 바꿨다.

'희은이 동생' 희경이의 책이 아니라,

희은이 동생 '희경이'의 책을 내는 것이다.

우리집에 살던 식구들

어렸을 때 헷갈리는 단어가 있었다.
호박과 수박, 여섯시와 아홉시.
그중에 가장 놀라운 착각은 개와 고양이였다.
다섯 살 땐가, '개'가 갖고 싶어서
아버지에게 '고양이'를 사달라고 했다.
그리고 그날 아버지가 집에 데려온 고양이의 모습을 보고
나는 대성통곡을 할 수밖에 없었다.

"이거 말고 고양이!!!"

내가 얘기했던 건 개였다.

그래서 다시 개를 데리고 오셨다.
우리 엄마도 참 답답했을 거다.
첫째는 천재같이 똑똑한데, 둘째가 바보처럼 구니까.

우리집은 그때부터 개와 고양이를 서너댓 마리씩 키웠다.
옛말에 범띠가 집안에 있으면 개가 안 된다는 말이 있다.
우리 아버지가 범띠였기 때문일까, 개들이 족족 죽어나갔다.

어느 해에 가을엔가 강아지를 낳다가
가엾은 우리 백구는 그만 쓰러져버렸지
나하고 아빠 둘이서 백구를 품에 안고
학교 앞의 동물병원에 조심스레 찾아갔었지
무서운 가죽끈에 입을 꽁꽁 묶인 채
슬픈 듯이 나만 빤히 쳐다봐
울음이 터질 것 같았지
하얀 옷의 의사 선생님 아픈 주사 놓으시는데
가엾은 우리 백구는 너무너무 아팠었나 봐
주사를 채 다 맞기 전 문밖으로 달아나
어디 가는 거니
백구는 가는 길도 모르잖아

이 구절들은 언니가 부른 〈백구〉라는 노래의 노랫말인데,

동생 희정이가 일기로 쓴 내용을
김민기 씨가 노랫말로 정리해서 곡이 탄생한 거다.
백구도 교통사고로 죽었다.
동물병원에서 도망을 치다가 차에 치인 거다.
우리 자매는 세상이 끝난 듯 울며불며 난리가 났었다.

그후 부모님이 이혼하고 나서는 한동안 개를 안 키우다가,
내가 결혼을 하고 애들이 원해서 다시 개를 키우게 됐다.
그게 '몽실'이다.
누가 떠맡겼다며 배철수 씨의 매니저가 데려온 거다.
대소변을 못 가려서였다더니, 정말 아무데나 오줌을 싸댔다.
내가 6개월을 훈련시켰다.
칭찬하고 까까를 줘가며 키웠고
그렇게 몽실이는 우리집에서 19년을 살다가 떠났다.
최진실 씨가 떠나던 날 오후에….
화장시켜서 우리집 능수매화 밑에 묻어줬다.
그래서 내 마음속에 그들은 삼三실이 됐다.
진실, 몽실, 매실.

몽실이가 아홉 살쯤 되었을 무렵
뮤지컬 배우 전수경 씨가 도무지 상황이 여의치 않다며
어쩔 수 없이 나한테 '준호'를 부탁했다.

코카스패니얼 종이었던 준호. 멋스럽게는 '주노'라 불렀다.
견성이 착하기 이를 데 없었으나
이 녀석도 우리 마루에다 지도를 수도 없이 그려놨다.
몽실이는 처음에 주노가 왔을 때 쳐다도 안 보더니
주노 덕인지 함께 어울리며 오래 살기도 했다.
몽실이 떠나고 그럭저럭 우리집에서 잘 지냈으나
선천적 피부병이 있어서 결국 피부암으로 세상을 떠났다.
그렇게 두 마리의 개를 보내고 나서 또 대성통곡했다.
헤어지는 게 너무 가슴이 아팠다.
그리고 이제 내 생에 개는 끝이라 결심했다.

한편 우리 언니네는 '미미'와 '보보'라는
퍼그 두 마리를 14년 동안 길렀다. 실상 가족인 셈!
언니 부부의 대화 주제는 항상 개였다.
"오늘 미미가 밥을 안 먹었어." "산책 갔는데 똥이 묽어."
늘 이런 말들이 둘 사이를 오갔기에 두 마리가 떠나니
언니 부부 사이에 대화가 없어졌다.
그래서 아는 오라버니한테 얘기해서
푸들 두 마리를 데려다줬다.
언니는 그 아이들을 만나고
그들에게도 또다시 미미와 보보라는 이름을 붙여주었다.
다른 이름을 떠올릴 수가 없단다.

그렇게 미미와 보보 푸들 커플이 탄생했다.
'미미와 보보'는 우리에게 마치 한 단어 같았지만
보보는 재작년에 떠났고, 미미만 남았다.

나는 지금도 개를 보면 그렇게 좋다.
산책길에 마주치는 개를 보면 이름과 나이를 물어가며,
모르는 사람들과도 인사를 잘하게 된다.
어릴 적 늘 개와 함께 자라서 그런가.
그럼에도 내 동생은 개에 대한 생각이 별로인 걸 보면
개와 함께 컸다고 다 개를 좋아하지는 않는구나 싶다.
(언니도 어려서는 나만큼 개를 좋아하진 않았다.)
하지만 나는 개들 특유의 따듯함이 좋고,
주인 좋아라 따르며 꼬리 치는 모습도 좋다.
강아지에게서 나는 젖내음, 말랑한 발바닥.
주인에게 무조건 사랑받으려 애쓰는 모습도 다 사랑스럽다.

진짜 키우고 싶은 개는 리트리버다.
잠깐이지만 막덩이가 밴쿠버에 살 때 함께 지낸 적은 있다.
거기서 몇 달간 머무르는데 엄마 심심하다고,
멀리 차를 타고 가서 리트리버 한 마리를 데려왔다.
아직 강아지였을 때 나는 먼저 귀국했다만
그뒤 이 녀석이 리트리버 중에서도 큰 사이즈였는지

우리집 막둥이도 못 이길 정도의 덩치가 되어
사고란 사고는 있는 대로 쳤단다.
도저히 좁은 집에서 키울 수가 없어 결국 입양 광고를 냈다.
곧 입양을 원한다는 사람이 가까이에 산다며
아주 좋아라 데려가서는
그 집에서 왕자 대우를 받으며 산다는 소식을 종종 전해 받았다.

개는 그 집 조상이 다시 찾아온 거라는 옛말이 있다.
그만큼 사람 손을 탄다는 얘기겠다.
밥 먹여줘 산책시켜줘 배변 훈련시켜 병원 데리고 다녀,
나이들면 동무 삼아 키우고 싶어도
손이 많이 가는데 내가 잘해줄 수 없을 것 같아
포기하고 만다.
지금도 끊임없이 유혹당하고 살지만 이 악물고 버틴다.
데려와서 하나부터 열까지 전부 책임질 수 없다면
그건 욕심이다.
뮤지컬 〈식구를 찾아서〉를 볼 때마다
우리집을 거쳐간 수많은 개들이 주마등처럼 지나갔다.
주인공인 두 할머니와 함께 사는 동물 중에 개가 있는데,
제 역할을 아주 톡톡히 해내는 모습을 보니…
아! 여전히 개를 키우고 싶다.

노년의
미니멀 라이프

피부과에 갔다. 잡티와 기미 때문에!
선블럭도 안 바르고 다니던 시절의 대가를 늙어 치른다.
방송을 해야 하니 안 가꾸는 것도 도리가 아니라며
주변으로부터 온갖 잔소리를 듣는다.

예전엔 머리도 내가 만져서 방송을 했었는데
이제는 숱도 줄고 머리카락에 힘이 없으니
전문가의 손길을 받지 않으면 초라해 보이는 나이가 됐다.
밥도 옆자리에 식구가 있어야 제대로 얻어먹는다.
두 덩이가 나가면 혼밥은 엄청 간단히 만들고,
대강 있는 반찬을 꺼내어 먹곤 한다.

오랜만에 만난 후배와 어제 만났다 헤어진 듯,
두런두런 밀린 이야기를 했다.
여기저기가 고장났다는 아픈 얘기들을 나누고 헤어졌다.
이 나이가 되니 하는 이야기가 다 똑같다.
어디가 아프고 무슨 치료가 좋으며,
어떻게 미니멀 라이프로 살 것인가에 대한 이야기가 전부다.
그리고 항상 끝말은 "건강하게 잘 지내자!"
헤어지지 말자고 굳게 맹세하는 열애중인 남녀 같구나.

미니멀 라이프.
내 삶은 점점 쪼그라들고 있는데 살림은 점점 늘어난다.
줄이고 줄이자! 새로 사는 걸 멈추자!
늘 그렇듯 맘속 다짐은 맘속에서 끝날 때가 많다.
행동으로 옮기며 살려고 허리 부러지게 정리 노동을 하고
석 달을 비실거렸다.
"이건 너무 옳지 않아!" 부르짖어도
이게 나의 오랜 현실이고 실화다.

그래선지 나는 요즘 잘 버리는 사람이 제일 부럽다.
나의 버리고 비운 자리들은 항상 보란 듯이 다시 채워졌다.
'노세 노세 젊어서 노세'라지만
'버리세 버리세 젊어서 버리세'로 바꿔도 좋겠다.

노는 것도 정리도 엄청난 체력을 요하니 말이다.

가방 하나 싸서 여행을 떠나보면 그대로 한 달이 살아지니
집에서도 그 이상은 불필요하다는 건데
무턱대고 끼고 사는구나 싶다.
게다가 무엇이든 물건을 쉽게 사는 세상에서는
넘치는 게 다반사다.
그러니 넘치도록 갖고 사는 삶은 부러울 게 하나 없다.
비우고 비워 가볍게 사는 사람들이 제일 부럽다.

그런데 여기에서 잠시
나의 직업이 주는 넘침을 짚고 넘어가야겠다.
배우라는 직업이, 게다가 이 '뚠뚠' 체형이
많은 걸 보관하고 살게 한다.
집 안에 차고 넘치는 의상과 소품을 볼 때마다
이것들을 어쩐다 싶어 소스라치게 놀라곤 한다.
나 죽고 떠난 다음,
이걸 보는 누군가의 마음이 느껴지니 말이다.
그러니 그 마음이 오기 전에 미리미리
정리, 또 정리하며 버려야 한다.
이미 가지고 있는 의상이며 소품을 많이 나눴다.
그러나 아직도 내 집을 보고 있으면 숨이 막힌다.

일도 줄었으니 소지품도 확 줄여버리지, 뭐!

필요하면 또 어떻게 되겠지.

필요할 때가 안 올 수도 있잖아?

알아도 죽고
몰라도 살아!

우리 언니와 동생은 어려서부터 늘
만화책을 포함해 책을 많이 읽으며 자랐다.
나는 만화책에 별 재미를 못 느끼니 딱히 좋아하지 않았다.
다만 책을 많이 읽는 사람들이 주변에 성황을 이루니,
늘 좋은 책을 추천받으며 읽고 살았던 거다.
그렇게 언니와 동생의 영향으로
자라면서 책을 보기 시작했다.

요즘은 읽는 게 즐겁지가 않다.
마흔다섯 살 때 돋보기를 끼기 시작하면서부터
눈이 피곤해 점차 책 읽기를 멀리하게 됐다.

한번 붙잡으면 끝을 봐야 하는 습관이 있는데
중간중간 멈추려니 성에 안 차고, 어떻게든 독파하려니
몸이 너무 힘들었다.
책 읽기도 체력이 필요하다.
몸을 써야 하는 행위니까.
그러니 젊을 때 많이 읽는 게 좋겠다.

나는 어려서부터 원체 몸으로 하는 걸 좋아하며 자랐다.
달리기, 고무줄놀이, 술래잡기를 많이 했고
피구, 탁구, 배드민턴도 곧잘 했다.
각종 놀이를 친구들과 어울려 하는 게 좋았다.
계모로부터 떨어져 있을 수단으로
친구들과 시간을 보내는 것이 최고였기 때문이다.
하지만 몸이 따라주지 않아
책을 더이상 읽기 어려워진 지금은
그동안 읽은 책으로도 인생 즐거웠고 위로도 받았으니
더 애쓰지 말자고 그저 스스로 위안 삼는다.

몇 년 전, 언니 친구인 김연숙 시인 별장에 함께 놀러갔었다.
그때 언니가 "어려운 책을 좀 사서 읽어야겠다"라고 하는 거다.
그래서 말했다.

"아이고, 언니!
이제 그만 읽어도 됩니다.
알아도 죽고 몰라도 삽니다.
읽는 거 그만하고, 글 쓰고 싶은 거 쓰며 사세요!"

저 말이 인상 깊었는지
이후 연숙 언니 입에서 종종 다시 만날 때가 있다.
'알아도 죽고, 몰라도 산다'라는 말.
주변뿐만이 아니라 머릿속도 정리해야 하는 나이.
칠십이 됐다.

아무하고나
밥을 먹을 순 없잖아

파티를 즐겨본 적이 있던가? 나에겐 파티라는 말이 멀다.
드라마의 시작과 끝에 열리는 시파티와 종파티,
시상식을 진행하는 방송사의 연말 파티 외에
일반적으로 '파티'라 부르는 곳에 가본 적이 없는 듯싶다.

사람들끼리 드레스 코드를 맞추고 멋지게 드레스 업! 하고
종류별로 차려놓은 음식을 먹으며 술을 마시는 것.
끼리끼리 모여 얘기를 나누고 흐르는 음악에 춤도 추는 것.
돌아가며 마이크를 잡고 노래를 다 불러야 끝나는
그런 파티는 사십대까지만 해봤다.
칠십에 들어선 지금의 내게는

두세 가지 음식을 푸짐하게 차리고,
대여섯 명이 넘지 않는 사람들끼리 모여서,
서로가 나누는 이야기를 다 알아들을 수 있게
밀착되는 시간이 파티라 생각한다.
알맞은 사람들끼리 적당한 가짓수의 음식을 앞에 두고
정겨운 시간을 보내는 것!
누군가는 이런 소소한 모임을
파티라 부를 수 없다고 말할지도 모르겠다.
하지만 글쎄, 모인 사람들 모두가 즐기는 것이
곧 파티의 본질 아니겠는가?

더군다나 먹는 것은 너무나도 주관적이어서
각자가 좋아하는 맛이나 스타일이 다 다르기 마련이다.
취향이 맞는 사람들끼리 모여서 식사하는 시간이
유독 즐거운 이유다.
모여서 밥을 먹는 것, 사다 먹는 게 아니라면
누군가 메뉴를 고민해서 준비를 해야 한다.
그런 수고로움이 있기에
사실 아무하고나 밥을 먹을 순 없는 거다.

한국인들의 정을 보여주는 인사말인
'나중에 밥 한번 먹자!'가

실제로는 잘 이루어지지 않는 이유일 테다.

함께 모여 먹을 수 있는 사람이 옆에 있는 것에 감사하자!

오래된
우리 나무집에게

일산에 있는 우리집은
내가 설계사와 직접 여러 가지를 협의하고
가방에 줄자를 넣고 다니면서 지었다.
구조도 내가 원하는 대로 결정했다.
대부분 남자들이 매달려서 하는 일을 나 혼자서 한 거다.
그래서 이 집에 남다른 애정이 있을 수밖에 없다.

1995년에 이 동네 땅을 분양한다는 얘기를 듣고
지인들과 동네 구경을 했었다.
그 무렵 이곳에는 정발산밖에 없었다.
그러다 땅을 바둑판처럼 갈라놓은 상태에서

점차 아파트들이 들어서기 시작했을 시기에
좋은 자리에 땅을 살 수 있었다.
너무 맘에 들어서 언니에게도 권했고,
언니도 골목 건너 자리를 사 1997년에 같이 집을 지었다.

우리집은 투바이포 공법으로 지은 목조주택이다.
그 당시엔 미국에서 기술자들이 와서 집을 지었다.
밥 먹는 시간도 아껴가며 후다다닥 짓고 갔던
그 사람들이 문득 생각난다.
혼자 혹은 둘이 와서 일도 척척 잘들 했다.
그때 우리나라의 기술자들이 그들과 함께 작업하며
노하우를 배우더니 그뒤로 동네에 목조주택이 늘어났다.

목조주택은 끊임없이 손봐주고 고쳐가며 살면
50년 100년도 거뜬하다는데,
우리의 옛집들도 다 목조와 흙으로 지었고
그중에 수백 년을 지낸 건축물들도 많으니 사실일 거다.
목조주택에 살다보면 집이 숨을 쉬는 걸 느낄 수 있다.
이런 곳에서 25년째 살고 보니
아파트가 아무리 좋아도 내겐 답답하게 느껴진다.
물론 편리한 건 아파트를 따라갈 수는 없겠지만.
우리집 지을 때 비슷한 시기에 지은 윗집에서

25년 된 보일러가 고장났다고 한다.
아이고, 우리집도 전문가한테 물어봤더니
이 집도 냉난방 공기가 통하는 덕트에 묵은 먼지가 끼어서
그냥 두면 몸에 안 좋단다. 바꿀 때가 되긴 했지.

그리하여 우리집은 한동안 대수술을 치렀다.
보일러 교체로 시작된 공사로 인해
여기저기 문제점이 들춰지는 바람에 지하 곳곳을 손봤는데,
다 끝나서 철수하려고 보니
외벽에 문제가 심각해 여기 조금, 저기 조금.
그렇게 일 년 넘게 수리했다.

품이 많이 들지만 하나씩 고치면서,
집이 버텨주는 한 계속 여기서 살고 싶다.
그리고 더 늙으면, 여기에 다시 집을 조그맣게 짓고 싶다.
지금 이 자리 자체가 좋으니까.
대문 열면 정발산이 눈앞에 있어 바로 산책이 시작되니
그게 제일 좋은 점이다.
우리 나무집아, 잘 살펴주지 않아서 미안!
조금만 더 버티며 같이 가자고 집 구석구석을 다독여준다.

걸으며
생각하는 것들

빗소리에 남은 잠이 후다닥 달아났다.

감았던 눈 뜨니 5시 반. 가는 봄.

봄의 끝자락 비가 너무 잦다.

봄꽃들은 맥없이 떨어지고 장미가 흐드러지게 피니

곧 뜨거운 날들이 오리라. 넝쿨장미 피면 장마도 오겠지.

절기는 딱딱 오고 가는데

우리네 삶은 코로나와 함께 맥없고 부질없다.

전에 없던 삶의 형태들, 처음 겪는 일과 상황들.

내가 몸담고 있는 공연예술계는 엄청난 변화를 겪었다.

무대는 살아 있고 객석은 죽어 있다.

분리될 수 없는 무대와 객석의 생사가 갈리니 다 꽝이었다.

대면하지 않는 공연은 의미가 없다.

코로나가 점차 마무리되어가는데, 공연장의 회복은 더디다.

빗소리 쩌렁하니 생각도 솟는 아침.

눈을 돌려 저 앞에 서 있는 정발산을 바라보고 있자니,

걸어야겠다.

비 온 뒤 정발산을 좋아한다. 좋은 토양, 토질의 산.

적당히 황토가 섞여서 발이 안정적인 산, 높이는 동산!

봄이 시작되면 벚꽃 흐드러지고

지기 시작하면 화설花雪을 뿌려주더니,

늦봄엔 아카시아꽃이 향기롭게 피고

비가 내리니 다 떨어져 하얀 카펫을 깔아놓았다.

두리번 살피니 때죽나무꽃이 만개했다.

쥐똥나무도 꽃피울 준비중이고.

동네 어느 집 인동초도 담장에서 꽃피울 준비를 한다.

가던 발걸음 멈추도록 향이 은은하다.

장미, 찔레, 넝쿨장미도 다투어 피어오르니

화려하기가 축제 버금간다. 가다보니 버찌도 만났다.

어릴 적 언니와 어지간히 따먹고 안 먹은 척했던 버찌.

그때는 엄마가 우리의 입속을 들여다보고는

우리가 뭘 했는지 다 아시는 게 너무 신기했다.

한참을 걷고 있자니 바람이 고맙게 분다.

걷는 사이사이 잎을 흔들고 머리카락 건드리며
이 냄새 저 냄새 퍼트리고, 이 꽃 저 꽃 춤추게 하고
씨앗도 나른다. 바쁜 바람.
이런 자연의 모든 것이 큰 위로다.
연두가 짙어 초록으로 변해가는데 숲속 꽃들은 거의 하얗다.
나무 사이사이 꽃들이 화룡점정!
시간이 겨울에서 봄으로 건너뛰듯 겅중 가버리는구나.

바닥을 내려다보다 마른 흙에서 괴로워하는
어마무시 큰 지렁이를 발견했다.
막대기로 들어 촉촉한 흙이 있는 곳으로 옮겨줬다.
토룡이들은 흙이 살아 있다는 증거다.
오래오래 땅을 지켜주길!
공존, 공생에 대한 생각을 불쑥 해본다.
나만 생각하거나, 인간 위주로만 사고하고 행동해서
저질러진 일들이 너무도 많다.
지금 지구는 엎어지고 뒤집어지는 중이다.
남는 게 하나도 없어지기 전에 멈추고,
그 상태에서 즐기고 살 수는 없는 걸까?
인간의 욕심이 기후까지 바꿔놓다니.
자연의 모든 것이 살아 있어야 우리도 산다.

걷다보면 복잡한 생각은 사라지고 단순한 것들만 남는다.

그래서 정발산의 품이 좋고 고맙다.

아! 이래서 걷기 명상이 나왔겠구나.

뭐, 거창할 필요 있나!

사는 것 자체가 도 닦는 거고 모든 삶의 행위가 명상이겠지.

사는 곳에서 자연의 모든 것을 보며 배우고 또 배운다.

스승은 자연 속에 있더라.

늘 가르침을 아낌없이 주는 자연이 너무 고맙다.

자연 같은 사람이 되면 좋겠다.

몇 살로
돌아가고 싶어?

"엄마는 다시 젊어진다면 몇 살로 돌아가고 싶어?"

엄마는 열여섯 살이라고 하셨다.
이 질문의 의도는 기실 따로 있다.
돌아가고 싶은 나이가 그 사람 마음속 나이고,
실제 정신적 나이라고 들었기 때문이다.
세상에, 우리는 엄마의 이 대답을 듣고 경악했다.
아! 엄마가 그래서 그리 젊게 사셨구나!
예쁜 것, 아름다운 것, 꽃 꽃 꽃을 그리 좋아하는 엄마는
어린 시절을 잊지 않고 계셨다.
나 역시 꽃을 좋아해서

예쁜 꽃을 보면 사진이라도 한 장 찍어야지,
그냥 넘어가질 못하는 걸 보고 언니가 한마디했다.

"너도 엄마 딸 아니랄까봐,
꽃을 좋아하는구나!"

그렇구나, 나도 엄마 닮았구나.
엄마는 진지를 혼자 드실 때도 꼭 정식으로 차려서
예쁜 그릇에 담아 드시곤 했다.
외할머니께서 그렇게 가르치셨단다.
혼자 먹을 때도 그릇과 상을 제대로 갖춰 차려 먹으라고.
나이들고 보니 외할머니의 그 말씀이 마음에 와닿았다.
누가 대우해주길 바라지 말고
스스로 잘 챙기며 살아야 한다는 말씀이었겠지.
엄마는 할머니 말씀을 잘 지키며 사셨다.

본인 스스로를 잘 챙기는 부모는
자식들에게 큰 짐이 안 된다.
나를 살펴줄 수 없는 자식들에게 매달리는 일 없이
먹는 것도 사는 것도 잘 해결하려면
무조건 건강해야 한다.
건강, 이것이 문제로다!

숲처럼
살 수 있다면

나무를 좋아하니 꽃도 나무에 핀 꽃들을 좋아한다.

바다보다 산! 정확히는 숲을 좋아한다.

나무 옆에 있으면 정말 좋다.

나무 사이사이 꽃이 보이고

곤충도 풀도 함께 어우러져 있는 것은 보기만 해도 좋다.

그래서 나무를 만지고 다루는 사람이 좋고 부럽다.

나무를 잘 알고 이름 불러주며 어디에 쓰이면 좋은가도 알고.

그렇게 살면 좋겠다고, 산책하며 늘 생각한다.

부엌 놀이를 하다보면 산책 시간을 넘길 때가 있다.

어느새 저녁이 되었다고 가로등이 번쩍하고 켜진다.

이렇게 여름으로 곧장 지나가지는 않겠지.
앞으로 한여름 폭염이 심해질 거라는데 벌써 걱정스럽다.
자연의 시간은 절기 딱딱 맞춰 간다. 어긋나는 건 사람들뿐.

산책은 해가 질 무렵이 좋다.
'개늑시'! 하루 중 제일 차분해지는 시간이다.
시끌벅적 소란스런 숲도 이 시간쯤 되면 차분해진다.
그 차분함이 좋고 사람도 드문 때라 더 좋다.
숲에서 나무들과 두런두런 얘기 나눌 수 있다.

잎이 멋지고 꽃이 예쁘고, 향기도 좋은 그들을 닮고 싶다.
잘 자란 나무들 사이에 깃드는 바람도
햇살도 빗방울도 새들도 곤충들도 다 감사하고 고맙다.
쨍한 날도 좋고 흐리고 폭우가 쏟아지면
촉촉하게 습기 머금은 숲도 너무 좋다.
콸콸 졸졸 물 흐르는 소리도 정겹다.

잎 다 떨어진 앙상한 나무도, 땅에 깔린 폭신한 낙엽도
눈 덮인 숲도 쨍한 찬 공기도 다 고맙다.
이래서 좋고 저래서 좋은 숲.
우리의 삶도 이렇게 흘러가면 좋겠다.
오늘은 이래서 좋고 어제는 저래서 좋았고

내일은 이러저러할 것이니 좋을 거고 하면서,
소소하게 부엌 놀이 하다가 산책 나가기.

산책하다가 몇 가지 재료를 사는 삶이 마음에 든다.
산책길에 시장에 들러 만나는
잘 다듬어진 쪽파, 껍질 벗긴 고구마순, 잘 손질한 도라지,
이런 것들이 좋고 귀하다.
값진 물건을 파는 시장 사람들이 최고로 좋으니
그 가까이 살고 싶다.
물건을 줄이고, 나무와 숲과 물물교환하고 싶다.
자꾸 정리하고 짐을 줄여서 그런 곳에 살고 싶다.
단출하게, 단출하게!
이토록 단출한 삶이 간절한 거 보니
오히려 잘 이뤄질 것 같지 않은 느낌적 느낌이 들지만
마음만은 언제나 '정리할 결심'이다.

친구와
웃는 날

멀리서 친구 순자가 엄마를 뵈러 왔다.

순자네는 동쪽 끝, 우리는 서쪽 끝에 산다.

중고등학교 시절 그 친구 집에서 어지간히 밥을 얻어먹고

잠을 자며 많은 시간을 보냈다.

넉넉한 집안은 아니었지만 순자네 친할아버지와 엄마는

나를 큰손녀, 큰딸로 여기시면서 사랑을 듬뿍 주셨다.

덕분에 순자와는 같이 자고 같이 먹고

내 몫까지 싸주신 도시락을 들고 같이 등교했다.

할아버지도 엄마도 지금은 다 떠나셨다. 고마우신 두 분!

늘 긍정적이었던 순자는

수학 선생님이 되고 정년퇴임까지 했으니,

이제 노후가 편안해졌다.

친구 영옥이와는 중고등학교를 거쳐
결혼 후에도 한동네 살면서,
내가 큰덩이를 가졌을 때 그 친구도 큰아이를 가져
임신 기간 동안 영옥이네 어머니로부터
맛난 음식을 받아먹으며 지냈다.
입 짧은 영옥이를 먹이려고 부지런히 음식을 만드시면
영옥인 안 먹고 내가 다 먹으며
뱃속 아기와 나를 둥실둥실 두둥실 살찌웠던 때다.
영옥의 아버지는 돌아가셨고 어머니는 살아 계신다.
내가 나온 드라마를 기쁘고 즐겁게 봐주시는 어머니.
고맙습니다.
영옥이는 자주 만나고, 순자는 드문드문 만난다.
자식들이 자식을 늦게 낳아서 칠십에 손주를 봐주느라
허리가 휘고 있는 두 친구들.

아무튼, 오랜만에 온 순자를 맞이하며
특별히 찰밥을 하고 생선을 구웠다.
있는 반찬으로 밥을 먹고, 수다를 나누며 늘어졌다.
그렇게 신나게 떠들다가 친구는 가고
매미소리 새소리가 신이 나길래 산책을 나섰다.

산에 막 접어들었는데 비가 뚜두둑 떨어졌다.
아, 비가 살짝만 오면 좋겠다 했으나
잦아들 기미 전혀 안 보인다.
에라, 오늘은 제대로 맞겠구나 포기하고 숲을 거닐었다.
중턱에 내려오니 빗방울이 굵어진다.

"어라, 지대로 내리시네!
그러하다면 비를 맞아야지, 어쩌겠나!"

기분 좋다. 실실 웃음도 나고.
친구가 집으로 돌아가고 혹여 나 외로울까
비가 준 선물! 실없어지니 좋다.

우리 옆집으로 오세요

우리 옆집으로 이사를 오겠다는 사람들이 가끔 있는데,
그 말을 들을 때마다 속으로
'같이 밥이 먹고 싶은 거겠지?' 싶다.
뭐든지 나눠 먹을 수 있는 사람과 이웃으로 지내고 싶다.
먹을 것뿐만이 아니고,
각자의 특기나 삶의 방식 같은 걸 공유하면 좋겠다.
'나 이거 할 줄 아는데' 하면 '그럼 나도 가르쳐줘' 하는.
이것도 '배워서 남 주자'의 일환이다.

이웃과의 수다, 친구와의 수다,
특히 여자들의 수다는 치유의 장이다.

한 시간 수다 떨어놓고 만나서 얘기하자며 전화를 끊는다.
동감, 공감, 위로, 응원, 그저 들어주기.
가까이 모여 지내며 이런 것들을 할 수 있으면 최고다.
가만히 들여다보면 곳곳에
그렇게 모여 사는 사람들을 볼 수 있다.
부부끼리, 남자들끼리, 여자들끼리….

시골에 가보면 할아버지들을 일찍 떠나보내고
혼자 남은 할머니들끼리 모여 사는 마을을 흔히 볼 수 있다.
그저 콩 한쪽이라도 나누고 하루 한두 끼 밥을 나눠 먹으며
장에 같이 가고, 같은 시기에 같은 미용실에 가서
머리를 자르고 뽀그리 파마를 한다.
뒤에서 보면 다 같은 사람으로 보이게 단장하고
모처럼 짜장면이나 칼국수 한 그릇씩을 사 먹고
집으로 돌아오는 할머니들.
그분들 중 영감님을 그리워하는 분보다는
동네 이웃 친구가 먼저 떠나는 것을 걱정하는 분들이 많다.

이런 이웃들과 희로애락을 나누고
먹거리를 나누고 지혜와 지식을 나누며
도란도란 사는 걸 꿈꾼다.
다 비슷한 처지라야 가능할 거다.

찰떡같이 붙어 지내다가 사소한 거로 삐지고 토라져 있다가
언제 그랬냐는 듯 밥을 나누고(또 밥이다!) 마음을 나누는 삶.
그런 노후를 꿈꾼다.

여자들에겐 한 피 나눈 자매들이 이런 역할을 해준다.
난 그런 의미에서 영원한 친구가 이미 이웃해 살고 있으니
반은 그 꿈을 이룬 셈이다.
우리 언니 양희은이 내겐 그런 존재다.
(말하기가 무섭게 나의 이웃, 언니가 개를 산책시키다
불쑥 우리집에 들어와보고는 또 휘리릭 갔다.)
앞으로의 우리 삶에 대한 얘기를 하는데
서로 속속들이 잘 아니,
마음 편히 얘기할 수 있는 게 참 행복이다 싶다.

엄마! 딸만 낳아주셔서 고마워요.
와중에 아들이라도 하나 있었으면 어쩔 뻔했을까?
방 하나에 살 때도 그 생각을 했었다만
아들은 아버지 닮는다니,
아버지의 바람기를 닮은 아들이 나왔으면 어쩔 뻔!

기분 따라 마음 따라
음식 처방전

아프고 기운 없을 때는 대구 맑은탕을 찾게 된다.
시원하고 깔끔한 국물을 후후 불어 먹으면 기운이 좀 난다.
대구는 흔한 생선이지만 너무 많이 잡아먹는 바람에
잠시 귀한 생선이 되었던 시절이 있었다.
양식장에서 부화시켜 바다로 보내고
다시 돌아오는 계절을 몇 차례 보내고 나서야
가격이 많이 내려갔다.
제철에 맞춰 먹는 게 뭐든 좋다.
일 년에 한두 번 대구 철에 먹는 생대구 맑은탕은
입과 몸에 큰 즐거움을 준다.

☑ **대구 맑은탕**

- ☐ 무를 숭덩숭덩 썰어 넣는다.
- ☐ 그 위에 간젓장 약간과 마늘을 넣는다.
- ☐ 물을 자박하게 붓고 끓인다.
- ☐ 무가 익으면 물을 적당히 더 붓는다.
- ☐ 끓어오르면 손질된 생대구를 넣고 끓인다.
  (곤이, 이리, 지리는 따로 깨끗이 씻어둔다.)
- ☐ 어느 정도 익었을 때 소금 간을 하고
  대파 숭숭 썰어 넣는다.

대구 부속을 넣어도 맑게 끓이는 방법이 있다.
따로 빼놓은 대구 속을 다른 냄비에 넣고
거기에 맑은탕 국물을 부어 끓이는 것!
또는 맑은탕을 떠서 먹을 때 따로 고명처럼 얹고
와사비 장에 찍어 먹어도 좋다.

참고로 생태탕도 위와 같은 방법으로 끓이는데,
동태나 냉동 대구는 맑은탕보다
얼큰하고 시원한 매운탕이 낫다.
맑은탕에 고춧가루와 고추장을 1:1 비율로 넣으면 된다.

텁텁한 게 싫으면 고춧가루만 넣고 끓여도 좋다.
간은 간젓장으로 하면 깔끔하다.

마음이 답답할 땐 차가운 생채 종류가 좋다.
아삭한 생채는 입맛이 없을 때 딱이다.
김치가 똑 떨어졌거나 나물 같은 밑반찬이 여의치 않을 때
궁여지책으로도 좋다.
무만큼 여기저기 많이 쓰이는 재료도 없는데,
그중 만만하게 만들 수 있는 것이 바로 생채다.

☑ **숙주와 미나리 생채**

□ 숙주를 끓는 물에 기절시켰다 건져 식히거나
찬물에 헹궈 건져놓는다.

□ 미나리는 손질해서 3센티 길이로 자른다.
미나리 향을 죽이려면 끓는 물을 한번 끼얹어 헹구면 된다.

□ 소금, 식초, 설탕 또는 소금과 매실청을 넣고 버무린다.
(간장을 넣고 싶다면 간장과 식초 또는 간장과 매실청.)

☑ **무와 배추 생채**

- ☐ 배추를 무 크기와 같게 가로로 채 썬다.
- ☐ 무 생채 하듯이 버무린다.

  (이대로 두고 익히면 그 길로 김치가 된다.)

어딘가 허한 기분이 든다면 비빔밥이다!
집에 있는 모든 나물류를 전부 넣고,
스윽슥 비벼서 입이 미어져라 크게 한입 넣고 씹으면
속이 차오르는 느낌이 든다.
나물류를 좋아해서 각종 나물 요리를 때마다 만들어
냉장고에 넣어놓는다.
그러다보니 냉장고를 보고 있으면 비빔밥이 절로 떠오르고,
속절없이 다 꺼내다 비벼 먹게 된다.

☑ **고추장 없는 비빔밥**

- ☐ 콩나물, 무 생채, 고사리, 시금치 등

  갖고 있는 모든 나물류를 꺼낸다.
- ☐ 김치를 쫑쫑 썬다.

- □ 달걀프라이를 반숙으로 만든다.
- □ 고추장 없이 참기름만 살짝 둘러 비벼 먹거나
  된장을 넣어도 좋다.
  (고추장을 넣으면 다른 맛을 다 덮어버리니까.)

제철을 놓치지 말 것!:
굴 요리

☑ **굴전**

☐ 굴은 소금물에 잘 씻어 물기를 뺀다.

(이후의 모든 굴은 다 이렇게 준비할 것.)

☐ 달걀을 잘 풀고 소금 간을 살짝 한다.

☐ 밀가루를 피하고 싶다면 굴에 달걀만 입혀 팬에 굽는다.

☑ **굴 무밥**

☐ 무를 굵직하게 썰어놓는다.

☐ 잘 불린 쌀 위에 무를 얹는다.

☐ 그 위에 굴을 얹고 간장과 들기름을 넣어 밥을 짓는다.

☑ 굴 매생이국

☐ 빈 냄비에 매생이를 넣는다.

☐ 간젓장과 들기름, 마늘을 넣고 폭폭 익힌다.

☐ 물을 붓고 굴을 넣어 함께 끓인다.

여기서 매생이를 물김으로 대체하면 굴 물김국이 된다.

☑ 굴 생채

☐ 양념까지 마친 무 생채를 준비한다.

☐ 거기에 굴을 넣고 살살 버무린다.

☐ 젓국 또는 간젓장과 소금으로 간을 한다.

☐ 파와 마늘도 썰어 넣고, 고춧가루 넉넉히 넣는다.

예전에는 생굴을 초간장에 찍어 먹기를 좋아했지만,

지금은 생은 좀 피하는 편이다.

날것을 조심해야 하면 요리조리 익혀 먹는 게 좋다.

☑ 굴젓

- ☐ 작은 굴을 씻어 물기를 뺀다.
- ☐ 소금은 굴의 20퍼센트 정도를 준비한다.
- ☐ 씻은 굴과 소금을 버무려놓는다.
- ☐ 일주일 뒤에 체에 올려 물기를 뺀다.

고운 고춧가루, 곱게 다진 마늘, 맑은 젓국으로 버무린다.

그냥 먹어도 되고 익혀 먹어도 된다.

☑ 굴 깍두기

- ☐ 무는 깍둑썰기 한다.
- ☐ 고춧가루와 파, 마늘, 생강, 매실청을 넣어 버무린다.
- ☐ 굴을 씻어 소금을 뿌리고 버무려놓고 물기를 뺀다.
- ☐ 양념한 무에 굴을 넣고 또 살살 버무린다.

요건 자연산 바윗굴을 쓰는 게 좋다.

큰 굴은 여수 오돌패에서, 바윗굴은 실미원에서 구입한다.

나는 생선보다는 해물과 해초를 좋아한다.

주꾸미, 낙지, 문어 순으로 좋아하고

갑각류로는 굴이 최고다.

굴 철이 되면 여수 오일수산에서 굴을 몇 차례 시켜서
해 먹을 수 있는 요리는 다 하곤 한다.

누군가와 함께 먹을
내일의 요리

아침에 네 군데에서 장을 봐왔다.

유기농 식재료를 사고자 보통 그렇게 돌아다닌다.

두레생협에서 산 브로콜리와 콜리플라워를 삶아서

집에 있는 감자, 콩, 조린 밤과 같이 샐러드를 만들 거다.

그리고 네니아에서 산 어묵으로 탕을 끓여야겠다.

술 먹은 큰덩이와 국물이 꼭 있어야 하는 막덩이 때문에.

오후에는 냉장고를 열어보고 또다른 조합을 꾸며봐야지.

집밥은 그렇게 만드는 거니까.

재료를 사러 멀리 가고, 눈금을 보며 계량을 하는 건

너무 불편하다.

그런 걸 전부 따라 하기엔 너무 바쁘니
그냥 내 식대로 이것저것 넣어보고
간을 맞추면서 요리를 만들고 있다.
누구나 멋대로 만들어 먹을 수 있는 요리를.

요리는 같은 요리라도 레시피가 여러 가지고
넣는 부재료도 각각 다를 수 있다.
어떤 양념을 넣든 맛있게 내 식으로 만드는 게 중요하다.
입맛은 지극히 개인적이라서 내 입맛에 맞는다고
다른 사람에게도 맞을 거라는 생각은 틀린 거다.
중요한 건 기본적인 양념을 우리 장으로 해주고
재료는 될수록 좋고 싱싱한 것으로
나머지는 다 각자의 입에 맞게 하면 된다.

나는 웬만한 건 계량컵 계량스푼 없이 한다.
간이 맞으면 웬만히 잘 먹을 수 있다.
일단 한번 해보고 뭘 더할지 뺄지 찾아내고,
두 번 세 번 해보면 나만의 맛이 만들어진다.
그래서 나는 오늘도 장을 보며 재료를 생각하고 다듬고 씻고
어떤 것으로 맛을 낼지 정한다.

☑ 브로콜리 콜리플라워 감자

- ☐ 감자부터 삶고 거의 익어갈 즈음

  브로콜리, 콜리플라워를 살짝 기절시켜 건진다.
- ☐ 콩이나 밤이 있으면 함께 삶는다(없으면 패스).
- ☐ 모두 다 섞어 올리브오일 넉넉히, 소금과 후추와 버무린다.

☑ 감자 문어 샐러드

- ☐ 감자 포슬포슬 삶고 문어 40분 동안 푸욱 익힌다.
- ☐ 소금, 후추만으로 간을 맞춘다.
- ☐ 파슬리 가루(없으면 패스), 올리브오일로 버무려낸다.

☑ 제철 채소 덮밥

- ☐ 그때그때 나오는 제철 콩 한두 가지를 삶고

  브로콜리도 살짝 데쳐놓는다.

  만약 고기를 넣고 싶으면 여기서 고기부터 볶는다.
- ☐ 양파를 먼저 볶다가 감자를 넣어 함께 익힌다.
- ☐ 거기에 줄기콩 볶고 기절시켰던 브로콜리 넣고 푸욱 익힌다.
- ☐ 토마토 조금 썰어 넣고 한소끔 더 끓인다.
- ☐ 소금, 후추로 간하고 밥 옆에 올려 함께 먹는다.

감자로 만들어 먹는 든든한 집밥 레시피들이다.
이 정도 요리를 후다닥 조리하고 차려놓으면
같이 먹을 사람이 생각난다.
그럼 어렵게 생각할 것 없이 연락하면 된다.

"우리, 밥 먹을까요?"

반대로 불쑥 누군가 전화를 걸어오면
"가까운 데 있거나 시간 있으면 밥 먹으러 올래?" 하고
청할 수 있는 날들이 많았으면 싶다.
만약 와준다면 있는 것 정성껏 날렵하게 밥상을 차려주고,
맛있게 먹는 거 옆에서 지켜보다가
"다 먹었으면 이제 가"라고 편히 말할 수 있는 그런 친구가
어느 점심 무렵에 가끔 찾아와준다면 참 좋겠다.

깊은 바다에
빠지지 않도록

94세인 어머니와 72세, 70세, 66세인 딸 셋.
언니가 칠십이 되면서부터 우리 자매 셋은 새해 인사를
무릎을 꿇지 않은 자세로 드리고 있다.

"엄마 우리도 칠십이야. 늙어서 절을 못해요!"
"그래, 절 좀 안 하면 어떠냐?"

허락도 떨어졌으니 이젠 절을 안 한다,
아니 정확히는 못한다.
어딜 가나 의자를 찾고 상갓집에 가도 절을 못한다.
낮은 자세, 꿇는 자세를 졸업한 셈.

확실히 나이드는 건 슬픈 일이다.
딱 한 가지 이유 때문에. 몸이 아프고 건강하지 못해서.
이거야 별 방법이 없으니 받아들이며 살기로 한다.
솔직히 그걸 뺀 나머지는 다 좋다.

색도 흐려지니 호불호가 준다.
용서할 수 없던 것도 용서가 되고
꼴 보기 싫은 것도 적어진다.
분명하지 않아서 싫었던 것도 괜찮아져
계속 이렇게 살고 싶은 맘까지 생기니,
이런 게 나이드는 거라면 나는 나이드는 게 좋다.
다만 무엇이든 주의사항은 있다.

내 친구는 하루종일 쉬지 않고 떠든다.
같이 무언가를 먹으면서도 혼잣말이 끊이질 않는다.
그래서 나는 친구에게 말한다.

"3초만 조용히 하고 있어봐.
3초만 생각하고 얘기하면 안 되겠니?"
" … (2초 지나서 입이 열린다) 맛있는데?
언제 먹어본 거 같은데, 또 먹네?
우리 이거 먹은 거 기억 안 나?"

"어휴… 침해야, 침해."

우리는 요새 치매를 '침해'라고 부른다.
침해沈海, 다시 말해 깊은 바다!
치매는 깊은 바다에 빠지는 것과 똑같다.
꽉꽉 들어차 있던 머릿속이 어느 날부턴가 쪽쪽 쪼그라들어,
끝내는 아무것도 없이, 과거도 미래도 현재도 없이
혼자 바닷속에 쑤욱 가라앉는 거니까.
말장난처럼 부르는 것이지만 이보다 더 슬픈 병이 있을까?
실제로 나이 많은 친구들끼리 있을 때
'치매는 침해'라고 말해주면
모두가 바로 이해하며 마음에 와닿아한다.

일본에서 큰일을 겪기 전
엄마를 내가 잠시 모시고 살 때였다.
불현듯 엄마가 좀 이상하시다 느껴져
바로 병원에 가서 검사를 하니 뇌가 쪼그라들기 시작했단다.
그때부터 바로 약을 드시며 정기검진을 다니시는데
다행히 더 나빠지진 않았다. 빼어난 기억력도 그대로고.

그런데 치매도 유전이라던데, 좀 걱정이긴 하다.
바다에 빠지지 않기 위한 나의 노력은 이렇다.

1. 매일 일기를 쓴다.

2. 요리를 손에서 놓지 않는다.

3. 무슨 운동이든지 꾸준히 한다.

치매 예방에 꼭 필요한 행동 수칙!
이 세 가지는 내 몸이 쓰러질 때까지 해야 할 것이다.

10년 전부터 딸 셋에겐 새로운 놀이가 생겼다.
이른바 '병원놀이'.
치매 초기 단계인 엄마를 모시고
3개월에 한 번씩 병원에 가는 놀이로,
아프면 가서 주사도 맞고 약도 타오고
보청기를 갈기도 하는 '어른이'들의 놀이다.
언니랑 가끔 그렇게 떠든다.

"재밌지도 않은 병원놀이를
어렸을 땐 왜 그렇게 하고 살았는지 모르겠다.
주사 놓고 이런 거, 이게 정말 끔찍한 건데."

허나 나이가 들면서 몸이 하나둘 고장나는 건 당연한 일.
어쩌면 제 집 드나들 듯 병원에 가야 하는 노년기를 위해
어렸을 때 미리 병원놀이를 신나게 연습해둔 걸지도 모른다.

일곱 살 때 하던 소꿉놀이를 칠십에도 계속하고 있듯이
이 지독한 병원놀이도 척척 해내야지,
그 시절 연습한 대로!

나가는

글

이 책에 쓴 내용들은 사실 칠십이면 다 아는 얘기들이다.

서로의 손을 꼭 잡고 산으로 들로 돌아다녔던 시절,

함께 벽돌로 고춧가루 만들고 소꿉놀이했던

어린 날의 동무들을 생각하고,

학창시절 짝꿍들을 생각하고

결혼과 육아를 치열하게 치른 친구들.

여기저기 아프다 얘기하며 병을 알리고

치료법을 공유하는 지금의 친구들을

하나하나 떠올리며 썼다.

혼자 밥 먹는 친구들, 젊은이나 나이드신 분들이나

'되는 대로 먹지'가 아닌 좋은 재료로,
'내가 나를 위해 만들어 먹자'가 되면 좋겠다.
그럼 혼자인 사람들끼리 함께 먹는 재미를
자꾸 떠올려보도록 격려하면 어떨까?
이런저런 생각들을 모아모아 책으로 엮었다.
평생 이런 일은 없을 줄 알았건만…!

그저 누구나 아는 얘기를 써내려간 거다.
잘난 척도 아니요, 알아두시라 하는 것도 아닌
"그래, 맞다 맞아!" 공감하며 읽으시면 좋겠고.
당신 동무의 생각이라 여겨주시면 고맙겠다.

그냥 밥 먹자는 말이 아니었을지도 몰라

초판 인쇄 2023년 4월 11일
초판 발행 2023년 4월 24일

글 양희경
그림 대니 임

책임편집 변규미
편집 윤희영
디자인 조아름
마케팅 정민호 박치우 한민아 이민경 정경주 박진희 정유선 김수인
브랜딩 함유지 함근아 김희숙 고보미 박민재 정승민 배진성
제작 강신은 김동욱 임현식

펴낸이 이병률
펴낸곳 달 출판사
출판등록 2009년 5월 26일 제406-2009-000034호
주소 10881 경기도 파주시 회동길 455-3
이메일 dal@munhak.com
SNS dalpublishers
전화번호 031-8071-8683(편집)
031-955-8890(마케팅)
팩스 031-8071-8672

ISBN 979-11-5816-162-0 03810

☽ 달은 (주)문학동네의 계열사입니다.